A Montanha Encantada

A Montanha Encantada
© Maria José Dupré, 1971

Diretor editorial adjunto	*Fernando Paixão*
Editora-chefe	*Claudia Morales*
Editor assistente	*Emílio Satoshi Hamaya*
Preparação dos originais	*Lizete Mercadante Machado*
Coordenadora de revisão	*Ivany Picasso Batista*
Revisoras	*Ana Luísa França, Glair Picolo Coimbra e Bárbara Borges*

ARTE

Projeto gráfico	*Marcos Lisboa*
Editora	*Suzana Laub*
Editor assistente	*Antonio Paulos*
Editoração eletrônica	*Studio 3 e Eduardo Rodrigues*
Edição eletrônica de imagens	*César Wolf*

CIP-BRASIL. CATALOGAÇÃO NA FONTE
SINDICATO NACIONAL DOS EDITORES DE LIVROS, RJ

D947m
29.ed.

Dupré, Maria José, 1898-1984
A Montanha Encantada / Maria José Dupré ;
ilustrações Cris e Jean. – 29.ed. – São Paulo : Ática, 2000
128p. : il. - (Cachorrinho Samba)

ISBN 978-85-08-08177-6

1. Literatura infantojuvenil. I. Eich, Cris, 1965-. II. Eich, Jean. III. Título. IV. Série.

09-0202. CDD 028.5
CDU 087.5

ISBN 978-85-08-08177-6
Código da obra CL 731767
CAE: 218615 - AL

2017
29ª edição
22ª impressão
Impressão e acabamento: Intergraf Ind. Gráfica Eireli.

Avenida das Nações Unidas, 7.221 – Pinheiros
CEP 05425-902 – São Paulo – SP
www.aticascipione.com.br

Tel.: (0xx11) 4003-3061
atendimento@aticascipione.com.br

COLEÇÃO
Cachorrinho Samba

MARIA JOSÉ DUPRÉ

A Montanha Encantada

Ilustrações
Cris & Jean

editora ática

SUMÁRIO

1

UMA LUZ COR DE LUAR

Depois da aventura na Ilha Perdida*, as crianças passaram uma temporada sem novidades. Henrique, o "herói da ilha", como o chamavam, era convidado todas as noites para falar sobre Simão e os bichos; após o jantar, sentavam-se todos à volta de Henrique para ouvi-lo.

* *A Ilha Perdida* é um romance infantojuvenil de muito sucesso, também escrito por Maria José Dupré.

Durante o dia, passeavam a cavalo. Iam até à beira do Paraíba ou pescavam no riozinho e, quando não havia nada a fazer, ficavam no pomar comendo frutas e brincando nos balanços que Bento tinha armado para eles nos galhos mais fortes das mangueiras.

A fazenda do Padrinho era muito bonita e rodeada de montanhas altíssimas; uma delas, a que ficava do lado norte, era a mais alta de todas. Muitas vezes as crianças olhavam para a montanha e diziam que tinham muita vontade de ir até o seu cume para de lá admirarem o panorama dos arredores. Devia ser uma vista magnífica.

Uma tarde, estavam todos sentados nos degraus da escada do terraço, olhando a montanha e conversando. De repente Cecília, uma prima que tinha ido também passar as férias na fazenda, levantou-se muito espantada e disse aos outros:

— Vi uma luz brilhando lá em cima da montanha agora mesmo.

Oscar e Quico começaram a rir pensando que Cecília estava inventando isso para fazer graça. Eduardo perguntou:

— De que lado viu a luz?

Ela apontou o dedinho:

— Vocês estão vendo aquele monte de árvores do lado direito? Parece que há uma pedra grande junto às árvores. Pois vi passar uma luz lá agora mesmo.

Henrique perguntou, desconfiado:

— Que espécie de luz? Fogueira?

— Não sei — disse Cecília. — Vi passar uma luz assim de repente, não sei que luz pode ser, mas acho que não era fogueira.

Vera riu:

— Seus olhos estão vendo coisas impossíveis.

Eduardo disse:

— Quem sabe o sol refletiu em alguma pedra e fez a pedra brilhar?

Todos concordaram; devia ser aquilo mesmo. O sol estava se escondendo no horizonte; talvez seus raios vermelhos batessem nalguma pedra, refletindo o brilho que Cecília tinha visto. Ela continuou a afirmar que tinha visto a luz, e parecia uma luz diferente, assim da cor do luar.

No dia seguinte, ninguém mais falou sobre o brilho da montanha; só Cecília olhava para lá de vez em quando procurando ver novamente a luz.

Passaram-se dias. Uma noite, achavam-se todos no terraço contando as estrelas; a noite estava linda e havia milhares de estrelinhas brilhando no céu. Quico e Oscar, deitados no chão, olhavam para cima; Henrique e Eduardo estavam sentados nos degraus da escada; Vera, Lúcia e Cecília, sentadas em cadeirinhas de lona. Vera disse:

— Já contei mais de quinhentas, estou até cansada.

— Só? — disse Quico. — Já contei setecentas e trinta e quatro.

— Pois eu já contei mil e noventa — afirmou Oscar.

Ninguém acreditou. Se todos haviam começado a contar ao mesmo tempo, como é que Oscar podia ter contado mais?

— Ah! — disse ele. — Eu conto mais depressa que vocês.

De repente Cecília levantou-se e apontou a montanha:

— Parece que as estrelas brilham mais em cima da montanha. Vejam só!

Eduardo começou a rir:

— Cecília vive olhando para a montanha pensando na história da luz...

Eduardo parou de falar, mudo de espanto; olharam Eduardo, depois olharam a montanha; todos viram então uma luz passar e repassar no cume da montanha; era uma luz azulada um pouco pálida, parecia cor de luar.

Ficaram sem falar alguns instantes; depois Henrique deu um grito chamando Padrinho:

— Padrinho! Venha depressa ver uma coisa!

Padrinho estava lendo na sala de jantar; saiu acompanhado por Madrinha e chegaram à porta do terraço. As crianças estavam de pé, excitadas, olhando para o alto, mas a luz havia desaparecido.

Ficaram ainda uma meia hora ali de pé comentando o acontecimento, mas a luz não reapareceu nessa noite.

Já era hora de dormir e Madrinha mandou todos para seus quartos. Cecília, que dormia com Vera e Lúcia, estava impressionada e falava a todo o momento na luz esquisita que havia lá no alto. Lúcia bocejou e perguntou:

— O que será aquilo? Será que mora gente em cima da montanha?

— Acho que sim — disse Vera. — Se não morasse ninguém, não se veria luz.

— Eu bem tinha vontade de ir até lá ver o que é — disse Cecília. — E vocês?

— Nós também.

Cecília estava radiante:

— Eu fui a primeira a ver...

— Grande coisa — disse Lúcia.

No dia seguinte levantaram mais cedo; logo depois do café, saíram para o terraço e para o jardim da frente da casa; Eduardo já ali estava, mostrando a Bento o cume da montanha.

— O que será, Bento? Alguma pedra que tem um brilho fora do comum? Alguma mina de ouro?

Bento coçou a cabeça:

— Não sei. Pra dizer que é pedra... pedra pode brilhar com o sol, mas com o luar nunca vi... Pra dizer que é mina de ouro... Assim à mostra também nunca vi. É um mistério.

Padrinho apareceu com um binóculo entre as mãos; olhou e passou o binóculo à Madrinha; nada viram. O binóculo passou de mão em mão e todos olharam com atenção procurando algum sinal, alguma coisa que pudesse indicar a causa da luz. Não havia indício algum.

Viam apenas mato cerrado e pedras, havia grandes pedras entre as árvores. Decerto as pedras brilhavam, não podia ser outra coisa. Bento deu sua opinião:

— Mas pedra não brilha assim à toa, deve haver algum motivo.

O que seria? Passaram alguns dias sem esquecer a luz; todos falavam em fazer uma excursão ao alto da montanha — seria formidável.

2

PROJETOS

Henrique e Eduardo ficaram muito impressionados. Por que as pedras da montanha brilhavam? Nunca ouviram falar em pedras brilhantes, a não ser as pedras preciosas: diamantes, safiras, rubis. Mas pedra comum não brilha assim e aquelas brilhavam. Quem sabe haveria lá um tesouro? Montes e montes de pedras preciosas? Ou uma mina de ouro?

Começaram a imaginar uma excursão até o alto da montanha para descobrirem o mistério; Bento havia dito que era mistério e eles tinham quase certeza de que aquela montanha guardava um segredo, um imenso segredo. O que poderia ser? Não pretendiam ir sozinhos como haviam feito na Ilha Perdida. Não. Pediriam permissão aos padrinhos e, se eles deixassem, iriam todos, até as meninas.

Cecília, a priminha que foi a primeira a ver a luz, era a mais entusiasmada; todas as manhãs, quando acordava, ia olhar a montanha. E antes de se recolher ao seu quarto, à noite, tornava a olhar para o alto procurando ver a luz. Todas as crianças comentavam o fato com grande animação e faziam projetos.

Uns três dias depois, a luz tornou a brilhar; dessa vez em pleno dia. Estavam todos no pomar chupando mangas; eram mangas deliciosas, bem amarelinhas. Quico e Oscar apenas tiravam a casca e enterravam os dentes na polpa sumarenta; o caldo amarelo corria-lhes entre os dedos. Eduardo cortava fatias com o canivete; Henrique também. As três meninas descascavam e cortavam a manga com a faca que Eufrosina lhes havia dado.

Cecília disse, de repente:

— Estou com palpite de que a luz vai aparecer hoje.

— Por quê? — perguntou Vera.

— Não sei. Palpite.

— Então vamos ver quem vê primeiro.

As duas saíram correndo e deixaram o pomar; quando olharam para o alto, viram a montanha azulada e, bem lá em cima, qualquer coisa muito brilhante. Deram gritos chamando os outros; todos correram e olharam. Quico ficou parado, a boca aberta cheia de manga; quase engasgou quando disse:

— Nossa Senhora! Está lá o negócio brilhando...

Vera e Lúcia disseram ao mesmo tempo:

— Vamos até lá para ver o que é?

— Se Padrinho deixasse...

Henrique propôs:

— E se fôssemos pedir ao Padrinho?

Oscar respondeu:

— Acho que ele não vai deixar; só se ele for também.

Cecília disse:

— E o que estamos fazendo aqui? Vamos correr e mostrar a luz ao Padrinho; assim ele acredita.

E a menina saiu correndo em direção à casa; Vera gritou:

— Não corra com a faca na mão; mamãe disse que é perigoso...

Foram todos atrás dela. Encontraram Padrinho falando com Tomásio. Cecília foi a primeira a falar:

— Padrinho, venha ver a luz da montanha, está brilhando.

Puxou Padrinho pela mão e apontou o alto da montanha; não havia mais luz. Os outros chegaram nesse momento; Cecília teve vontade de chorar:

— Mas nós vimos a luz, Padrinho! Nós todos vimos lá do pomar. Foi só o tempo de chegar aqui, ela desapareceu outra vez.

Eduardo teve uma ideia:

— Quem sabe a gente vê só de um lugar? Faça o favor, Padrinho, venha conosco.

Vendo a excitação das crianças, Padrinho acompanhou-as até a entrada do pomar e, no ponto certo de onde elas haviam visto, olhou para cima: lá estava a luz.

O sol dava em cheio sobre a montanha e a luz quase o ofuscava de tão forte. Ficaram parados e mudos de admiração. "O que será?", "O que não será?", perguntavam todos.

Padrinho mandou chamar Madrinha; ela veio acompanhada de Eufrosina e de Bento. Todos ficaram olhando para o mesmo ponto uma porção de tempo. Cada um dizia uma coisa ou dava uma opinião, mas ninguém podia saber ao certo o que era aquilo. O fato é que havia um brilho no alto da montanha, um brilho muito mais forte, e isso ninguém podia negar. Eufrosina benzeu-se:

— Cruz-credo! O que será aquilo?

Lembraram que, à noite, a luz era diferente, pálida como o luar; durante o dia, quando o sol brilhava, a luz era intensamente forte. Nem comeram mais mangas; Madrinha mandou Quico lavar a boca, que estava toda amarela. Ele foi correndo e voltou correndo para não perder tempo, queria ver a luz outra vez, antes que ela desaparecesse de novo.

Num momento em que estavam conversando distraídos, Bento deu um grito:

— A luz sumiu! A luz sumiu!

Olharam ansiosos; de fato, havia desaparecido. O alto da montanha estava igual aos outros picos; viam-se apenas árvores e pedras cinzentas. Bento falou:

— Quer dizer que mora gente lá; faz a luz aparecer e desaparecer, isso só gente pode fazer, bicho não pode...

— Mas quem pode morar lá naquele alto? Nunca ninguém soube de nada por aqui; se morasse alguém lá, todo o mundo saberia — disse Eufrosina, e benzeu-se de novo. Padrinho, que tinha ido buscar o binóculo, olhou através dele, mas nada viu, além de árvores e pedras. Comentaram o fato durante muito tempo. À noite, ao jantar, deram muitas opiniões e Padrinho chegou a dizer:

— Quem sabe podemos organizar, um dia, uma excursão até lá? Eu gosto muito de descobrir mistérios...

Os meninos chegaram a bater palmas de entusiasmo; Cecília ficou assustada e perguntou:

— Todos nós, Padrinho?

— Todos — disse ele. — As meninas são tão boas companheiras quanto os meninos.

Vera, Lúcia e Cecília exultaram de contentamento. Após o jantar, fizeram projetos e mais projetos. Iriam todos a cavalo, pois era longe, e levariam Bento para auxiliá-los no que fosse necessário. Levariam cestas com coisas para comer e barracas para dormir. Seria maravilhoso. Padrinho gostava de tais aventuras e as crianças, mais ainda.

Ficaram tão animados que ninguém pensou em dormir; Cecília ia a todo momento espiar a montanha através da porta do terraço; os outros perguntavam:

— A luz voltou, Cecília?

Mas naquela noite, e nas noites seguintes, a luz não voltou a brilhar.

3

A EXCURSÃO

Uma semana depois a caravana estava preparada para subir a serra. Foram indicados Tomásio e um outro empregado da fazenda, chamado Jeromão, para irem na frente abrindo caminho; em seguida iriam as crianças, Padrinho e Bento, todos a cavalo. Levariam ainda dois burricos para transportar barracas, mantimentos, cobertas etc. Talvez lá no alto fizesse frio, apesar de ser janeiro; levariam também toldos e capas de borracha para a chuva.

Padrinho preparou também remédio e injeções contra mordida de cobra, como tinha feito quando foram à Ilha Perdida. As crianças estavam em grande excitação: Vera, Lúcia e Cecília não dormiram bem de tanto pensar na excursão; os meninos mais velhos não falavam noutro assunto. Só discutiam e comentavam a luz que havia no alto. Bento dizia que a montanha guardava um segredo e eles haviam de descobri-lo.

Na madrugada de uma quarta-feira havia grande movimento na casa da fazenda. Eufrosina preparava quitutes na cozinha; fritava linguiça, fazia sanduíches de queijo, colocava requeijões fresquinhos dentro de uma cesta, preparava tudo com animação. Madrinha ia de um lado para outro, indicando as roupas que as crianças deviam levar, aconselhando a não tomarem chuva, a terem cuidado com a saúde. Pingo e Pipoca iriam também porque eram inseparáveis amigos de Vera e Lúcia.

Estava ainda escuro quando montaram a cavalo na porta da casa; Madrinha despediu-se de todos, fazendo muitas recomendações a cada um deles. Tomásio e Jeromão haviam partido uma hora antes. Ficou combinado que esperariam a caravana no ponto onde Padrinho havia determinado para a subida da serra.

Antes de montar a cavalo, olharam para o alto, mas não havia nada; a montanha conservava-se em completa escuridão. Partiram. Todos falavam ao mesmo tempo; riam alto, contentes com a aventura. Depois de atravessarem o riozinho pela ponte que Padrinho havia mandado fazer, chegaram a uma planície; quando os cavalos iam trotando através da planície, o sol apareceu no horizonte e foi saudado com alegria pelas crianças.

Bento ia atrás de todos conduzindo os dois burricos carregados de tudo o que era necessário para armar o acampamento. Depois de atravessarem a planície, chegaram a um cafezal pertencente a uma fazenda vizinha; atravessaram-no também. Um cavalo marchava atrás do outro por entre os pés de café. Só depois do cafezal é que chegaram à encosta da montanha, onde Tomásio e Jeromão estavam esperando. Cada um deles levava consigo um facão de mato, próprio para abrir picadas; pararam um pouco e Padrinho deu as ordens marcando o lugar por onde deviam subir a serra.

Depois de breve descanso, começou a subida. Andaram uma hora mais ou menos; os animais subiam devagar porque a serra era muito íngreme; de repente, Oscar disse que estava com sede. Pararam novamente para tomar alguma bebida; abriram uma das cestas; nela havia várias garrafas cheias de limonada preparada por Madrinha.

De súbito, Cecília lembrou-se de que os animais também deviam ter sede e que eles não tomavam limonada. Olharam para Pingo e Pipoca; ambos estavam com as línguas fora da boca, com jeito de quererem bastante água. Eduardo disse:

— Vamos experimentar dar limonada; quem sabe eles bebem...

— Nada disso — disse Padrinho. — Eu cometi um erro muito grande; esqueci-me de trazer água para os cavalos, também isso não é possível. Temos que dar um jeito e procurar água por aqui mesmo.

Jeromão falou que em todas as serras há nascentes; naquela também deveria haver. Não seria melhor procurar desde já? Padrinho concordou; os cavalos e os cachorrinhos precisavam de água para beber. Como é que ninguém tinha se lembrado desse detalhe tão importante?

Enquanto isso, Henrique, que tinha apeado, havia despejado um pouco de limonada no côncavo da mão e dava a Pipoca; Pipoca cheirou, experimentou e virou o focinho para um lado; veio Pingo; lambeu os dedos de Henrique, mas não bebeu a limonada. Cecília disse:

— Eles querem água, água pura.

Tomásio e Jeromão deixaram os cavalos amarrados numa árvore e embrenharam-se pelo mato à procura de água; Bento, Eduardo e Henrique foram para outro lado, enquanto as meninas e os dois menores ficaram com Padrinho. Aquele que encontrasse primeiro a água devia dar um assobio todo especial para avisar os outros.

Padrinho e as crianças apearam e sentaram-se no chão para esperar; os dois cachorrinhos deitaram-se ao lado deles. Toda a serra parecia deserta e o lugar era muito fresco.

A espera prolongou-se por mais de uma hora. Padrinho estava ficando desanimado e até falou em voltar para a fazenda quando Pingo, que havia saído numa excursão pelos arredores, voltou todo molhado e se sacudindo energicamente para jogar fora a água do pelo. Vera gritou:

— Pingo, onde você esteve? Pingo descobriu água, Padrinho!

Todos rodearam o cachorrinho e falaram com ele como se Pingo pudesse responder; até Padrinho começou a perguntar como se esperasse resposta:

— Conta, Pingo, onde está a água?

Procuraram Pipoca; também não estava; devia ter ido ao lugar onde Pingo esteve. Imediatamente Padrinho tirou um balde que estava dependurado no arreio de um dos burricos e disse:

— Vamos ver onde esses heróis encontraram água.

Como se compreendesse, Pingo começou a trotar por entre as árvores; Quico e Oscar seguiram atrás dele, entusiasmados com a inteligência do cachorrinho. Padrinho recomendou:

— Cuidado!

Nesse instante, Pipoca veio saindo do meio do mato cerrado; vinha também sacudindo-se todo e muito satisfeito; com certeza tinha bebido água até se fartar. Oscar, que ia na frente, gritou:

— Já estou sentindo o cheiro da água, não deve estar longe.

Cecília respondeu:

— Água não tem cheiro!

— Mas esta tem — respondeu Oscar.

— Eu estou sentindo que deste lado o ar é mais fresco — disse Vera. — Deve ser por aqui.

Todos riram. Viram uma barraca no meio das árvores, depois um grotão; lá embaixo corria uma água pura e cristalina. Com a maior facilidade os dois cachorrinhos desceram e foram beber água outra vez. As crianças ficaram olhando, sem coragem de descer. Padrinho disse:

— Vamos procurar um meio de descer; deve haver um lugar por onde se possa ir até lá embaixo.

Andaram com cuidado à volta do grotão, procurando um meio de chegar até a água; Padrinho lembrou-se do assobio; devia assobiar para avisar os outros: a água tinha sido encontrada. Assobiou três vezes seguidas e esperou resposta; não veio resposta alguma. Oscar se lembrou de gritar; gritou com toda a força:

— En-con-tra-mos á-gua! Vol-tem!

Cecília, Vera e Lúcia gritaram por sua vez e esperaram, nada de resposta. Enquanto isso, Padrinho teve uma ideia:

— Olhem, meus filhos, vamos amarrar a corda no balde e jogar daqui; o balde vem cheio, assim não precisamos descer e os cavalos bebem água.

— Onde está a corda? — perguntou Lúcia.

— Está amarrada num burrinho, eu vou buscar — respondeu Quico.

E voltou correndo para o lugar onde estavam amarrados os cavalos; encontrou logo a corda, tirou e voltou correndo. Ouviram nesse momento três assobios; devia ser Bento, pois veio do lado para onde ele tinha seguido. Padrinho respondeu bem alto:

— Voltem! Encontramos água!

Amarrou a corda no balde e deixou cair no grotão com todo cuidado; todos ficaram olhando, e viram o balde encher-se de água, depois vir subindo, bem devagar; os cachorrinhos já estavam de volta, sacudindo as caudas de contentamento. O balde veio cheio; a água era fresca e limpa; todos beberam, depois Padrinho encheu novamente o balde para dar aos cavalos, que beberam com vontade; estavam mesmo sedentos.

Eduardo, Henrique e Bento voltaram cansados e suados; contaram que não haviam visto nem sinal de água, e haviam percorrido grande parte da serra, naquele lado. Eduardo passou o lenço pela testa e perguntou, muito admirado:

— Quem encontrou água?

Contaram que tinha sido Pingo. Os meninos acharam muita graça e disseram que a ideia de trazer os cachorros havia sido ótima. Padrinho assobiou mais algumas vezes para chamar Tomásio e Jeromão, ainda ausentes.

Logo mais apareceram os dois dizendo nada haver encontrado; já estavam ficando desanimados quando ouviram o primeiro assobio. Foram ver o grotão e tiraram mais um balde d'água, que também beberam; depois tornaram a dar de beber aos cavalos. Padrinho olhou o relógio e disse:

— Com essa história de procurar água, o tempo passou. Vamos então descansar e comer alguma coisa para depois continuarmos nosso caminho.

Acharam boa a ideia. Almoçaram sanduíches e ovos cozidos; deram carne aos cachorros e milho aos cavalos; depois de ligeiro descanso, resolveram continuar a subida. Já eram duas horas da tarde.

4

O PRIMEIRO ACAMPAMENTO

Daquele ponto em diante, a subida tornou-se cada vez mais penosa; o caminho era, às vezes, tão íngreme que os cavalos escorregavam; então os cavaleiros apeavam e puxavam os animais pelas rédeas. Fizeram o possível para seguir o curso d'água. Padrinho recomendou:

— Devemos seguir sempre nesta direção onde deve haver água; do contrário, não só os animais passarão sede, como nós também, pois a nossa limonada se acabará.

Assim foram subindo entre árvores grandes, arbustos, cipós, plantas de todas as espécies. Havia lugares escorregadios e perigosos; havia outros tão escuros e sombrios que parecia noite. De vez em quando beiravam um precipício e imaginavam que lá embaixo devia haver água; assim foram caminhando até que ouviram um barulho, cuja origem a princípio não souberam definir; ficaram todos parados, escutando; depois Eduardo disse:

— É barulho de água correndo. Deve haver uma cascata por aqui.

Ficaram quietos alguns instantes, Padrinho confirmou:

— Eduardo tem razão. Vamos na direção do barulho, deve ser uma cascata.

Logo adiante, mais para a direita, havia uma bonita cascata despencando de altura considerável e caindo embaixo, numa espécie de poço. Depois de terem admirado uns instantes a bela cascata, Padrinho falou:

— Penso que não há melhor lugar para acamparmos hoje. Há água e lugar plano para as barracas. Vamos dormir aqui.

As crianças ficaram encantadas; todos procuraram auxiliar. Uns ajudaram Bento a descarregar os burricos, outros foram encher novamente o balde no poço. Tomásio e Jeromão foram cortar paus para armar as barracas. As três meninas foram cortar pauzinhos secos para fazer fogo para o jantar.

Duas horas depois tudo estava pronto: as barracas com suas camas de vento armadas; o fogo ardendo debaixo de uma frigideira, onde Bento preparava ovos e salsichas. Jantaram muito bem, tomaram café fresco, pois Padrinho fazia questão do café; depois ficaram por ali, descansando.

Eram seis horas da tarde, mas parecia noite fechada; Padrinho disse:

— Vamos deitar cedo e tratar de dormir, amanhã às quatro horas todos deverão estar de pé porque precisamos partir bem cedo.

Deram milho aos cavalos, tiraram os arreios para que eles também descansassem e pastassem um pouco. Os cachorros não paravam, corriam de um lado para outro explorando os recantos da mata. Às sete horas todos estavam recolhidos às suas barracas e, apesar de não terem sono, procuraram dormir.

Os animais também aquietaram-se e não havia um barulho sequer na mata; nenhum pássaro, nenhuma coruja.

Uma hora depois, quando todos já dormiam, Eduardo, que estava na mesma barraca com Henrique e Bento, acordou com um barulho qualquer; não sabia dizer o que ouviu, mas ouviu um barulho. Ficou escutando durante alguns instantes. Seria algum bicho que andava por ali? Devia ser bicho grande, talvez uma onça. Como é que os cachorros não latiam? Talvez ele tivesse sonhado.

Nesse momento ouviu os latidos de Pingo e Pipoca, que estavam com as meninas e Padrinho na barraca vizinha; as barracas eram quase unidas. Eduardo sentou-se na cama de campanha e ficou escutando uns instantes; tinha certeza de que tinha ouvido passos furtivos: alguém andava ali fora à volta das barracas.

Lembrou-se de que poderia ser o próprio Padrinho, que talvez tivesse ido ver se os animais estavam bem; ou um dos empregados. Ia já levantar e espiar quando ouviu os latidos furiosos dos dois cachorrinhos fora da barraca. Devia ser algum desconhecido, senão os cachorros não latiriam assim. O coração de Eduardo quase parou de bater. Estendeu o braço e sacudiu Henrique, que estava dormindo ao seu lado:

— Henrique! Henrique! Escute! Tem alguém aí fora!

O irmão acordou quase que no mesmo instante e perguntou em voz baixa:

— O quê?

— Ouvi passos. Tem alguém andando aí fora. Escute os cachorros, estavam furiosos, agora pararam de latir.

De fato, tudo estava quieto outra vez; os cachorros, depois de rosnarem um instante, ficaram silenciosos. Henrique, com muito sono, respondeu:

— Não é nada, Eduardo. Se fosse alguma coisa, os cachorros continuariam a fazer barulho.

Ouviram então Pipoca uivar como se tivesse visto alguma coisa extraordinária; Eduardo segurou o braço de Henrique outra vez:

— Está ouvindo? Pipoca nunca faz isso. Vamos acordar Padrinho.

Padrinho já estava acordado e nesse momento saiu da barraca; chamou Tomásio:

— Tomásio! O que têm os cachorros? Por que estão latindo assim?

Os meninos também saíram; a noite estava muito escura na mata. Padrinho, que trouxe uma lanterna, procurava alguma coisa fazendo a lanterna iluminar todos os cantos. Pipoca tremia encolhido na cama de Vera, a cauda entre as pernas. Parecia estar com muito medo; Pingo também estava assustado e encolhido.

Os cavalos, amarrados ali perto, estavam agitados e procurando escapar; um deles relinchou. Jeromão gritou:

— Bento! Vamos acudir os cavalos!

Todos se levantaram para ver o que havia; Eduardo disse:

— Alguma coisa andou por aqui, senão os animais não estavam assustados.

— O que seria? — perguntou Henrique. — Gente não pode ser, não vive ninguém nestas alturas.

Tomásio disse:

— Para mim é alguma jaguatirica que andou rodeando os cavalos.

Os outros confirmaram pensando a mesma coisa. Eduardo disse que tinha ouvido passos de gente à volta das barracas; Henrique tornou a dizer:

— Não pode ser, quem vai morar nesta distância?

— E a luz que vimos em cima da montanha? — perguntou Eduardo.

— Deve ser alguma pedra luminosa, você vai ver.

Jeromão estava segurando um dos cavalos que se esforçava por fugir; o animal estava tremendo, tinha os olhos dilatados de medo. Ele acalmou os cavalos; Padrinho e Tomásio deram uma busca pelos arredores para ver se descobriam a causa de tanto pânico entre os animais. Não havia nada; os cachorrinhos também estavam calmos. Padrinho tornou a dizer:

— Deve ter sido alguma jaguatirica; ela passou por aqui e assustou os animais; quando nos viu levantar, tratou de fugir.

Henrique, que nada tinha falado até então, dirigiu-se ao Padrinho:

— Eduardo acordou com o barulho de alguém andando à volta das barracas; eram passos leves; ele até pensou que fosse o senhor. Depois os cachorros começaram a latir com tanta raiva...

Padrinho pensou um pouco e voltou-se para Eduardo:

— Não pode ser gente, Eduardo. Deve ser algum bicho mesmo. Quem andará por aqui a esta hora da noite? Se fosse gente, nós teríamos visto sinais durante o dia, mas não vimos nada.

Todos concordaram e Eduardo não falou mais nada; recolheram-se outra vez para dormir; Padrinho falou aos empregados:

— É melhor um de vocês ficar de sentinela; se for jaguatirica, é capaz de voltar e pegar um dos cachorrinhos.

Bento ofereceu-se:

— Eu posso ficar. Fico de sentinela aqui perto das barracas.

— Muito bem — disse Padrinho. — Entrego a você minha lanterna e esta espingarda. Vigie bem; é uma hora da manhã, ainda temos três horas de sono.

Vera, Lúcia e Cecília, que mal haviam posto as cabeças para fora da barraca, voltaram às suas camas, chamando os cachorros para junto delas. Vera ralhou com Pipoca:

— Não tem que fazer nada lá fora, seu assanhado. Fique bem quieto aí nesse lugar.

Lúcia e Cecília ralharam com Pingo:

— E você também. Por que é tão novidadeiro? Tudo que vê e ouve, precisa ir cheirar. Fique quieto aí, se acontecer alguma coisa ruim, não venha chorar, seu desobediente.

Deitaram-se e dormiram sossegadamente, pois sabiam que Bento estava de sentinela e Bento era um rapaz ativo. Não aconteceu mais nada durante a noite e às quatro horas Padrinho chamou:

— Levantem, vamos continuar nossa viagem. Vamos! Vamos!

A meninada pulou para fora das barracas e foi se lavar na água da cascata, de dois em dois. O dia prometia ser esplêndido e ninguém mais pensou no barulho da véspera. Tomaram café quente feito pelo Bento; comeram roscas com queijo, desarmaram as barracas e guardaram tudo, cada coisa no seu lugar apropriado. Depois encilharam os animais e continuaram a subida.

5

A MONTANHA QUE CANTA

Subiram sem parar até as duas horas da tarde daquele dia, sempre seguindo o curso do riozinho, de modo que não faltou água para os viajantes e os animais.

Pararam para almoçar; estavam todos com muita fome. Padrinho observou o lugar e disse que as barracas poderiam ser armadas ali; no dia seguinte chegariam ao fim da subida. Imediatamente trataram de dar comida aos cavalos, fazê-los pastar um pouco e preparar o pouso para a noite.

Depois de tudo pronto, almoçaram com apetite; em seguida tiraram uma soneca, pois naquela manhã a caminhada tinha sido longa. Fazia muito calor e estava ameaçando chuva; às cinco horas da tarde estavam todos despertos, bem dispostos e alegres, mas desejosos de um banho. Padrinho deu umas voltas e descobriu um lugar onde o riozinho formava um pequeno lago; determinou que as crianças tomassem banho ali. Cada um seguiu com sua toalha e sabonete, pois de nada haviam se esquecido.

Foi um esplêndido banho frio que cada um tomou por sua vez no pequeno lago; Padrinho e depois os empregados também foram banhar-se.

Como haviam almoçado muito tarde, Padrinho disse que, em lugar do jantar, tomariam apenas um ligeiro lanche. Foram ver a despensa para calcular quanto tempo ainda durariam as provisões que haviam trazido. Padrinho ficou satisfeito; havia muita coisa: latas de doces, queijos, linguiça, ovos, leite condensado e frutas. Às seis horas tomaram café com leite e bolachas, deram milho aos cavalos, trataram dos cachorros, que também gostavam muito de café com leite, e acomodaram-se para dormir.

O céu estava muito escuro; Padrinho distribuiu oleados nas três barracas para se defenderem da chuva. Tomásio ofereceu-se para ficar de sentinela; podia acontecer alguma coisa estranha como na noite anterior. Padrinho hesitou; Tomásio não podia ficar a noite toda sem dormir. Assim, não poderia trabalhar no dia seguinte. Então determinou que Tomásio ficasse até a meia-noite, em seguida Jeromão, da meia-noite em diante. Henrique e Eduardo também quiseram ficar, mas Padrinho disse que eles fariam guarda na noite seguinte; não havia necessidade de tanta gente numa só noite. Dormiram. Tudo ficou silencioso; os cavalos estavam bem amarrados e os cachorrinhos dentro das barracas.

Tomásio sentou-se entre a barraca do Padrinho e a dos meninos; colocou a lanterna no chão ao seu lado e a espingarda no colo; tirou um cigarro do bolso e começou a fumar. A escuridão era completa; apenas de vez em quando passava um vaga-lume iluminando a folhagem da mata. Um pássaro piou e alguns grilos ali por perto começaram a fazer cri-cri entre o arvoredo baixo.

Vera estava muito cansada; deitou-se e dormiu imediatamente. Sonhou que estava num teatro e nesse teatro havia muita gente que tocava uma música esquisita; era bonita, mas parecia música de sinos. Vera ouvia extasiada, estava gostando muito; de repente, um trovão reboou longe, mas parecia perto, ali mesmo dentro da montanha. Vera acordou um pouco assustada, depois se lembrou de onde estava; ficou com pena de ter acordado e perdido aquele sonho tão agradável. Voltou-se para o outro lado para tornar a dormir, mas não dormiu logo. Ficou muito admirada porque continuou a ouvir a música do sonho; ouvia agora melhor, mais nitidamente. Estaria sonhando outra vez?

Beliscou a própria perna: estava bem acordada. Estendeu o braço e passou a mão em Pipoca, que estava dormindo aos seus pés; o malandro tinha esperado Vera dormir e pulado para cima da cama de campanha. Lúcia e Cecília dormiam na cama ao lado. O que estaria se passando? Seria a única a ouvir aquela música?

Não era muito perto, o som vinha de longe, mas nunca tinha ouvido nada tão bonito.

Um sino tocava mais forte, outro mais fraco, um som era mais grosso, outro mais fino, eram badaladas em vários tons. Ficou escutando, depois se lembrou de perguntar a Tomásio se ele também ouvia; Tomásio devia estar de sentinela. Levantou-se bem devagar para não acordar ninguém e ia chegar à entrada da barraca; nisso outro trovão mais forte repercutiu por toda a montanha e a chuva começou a cair ruidosamente.

Vera voltou, deitou-se e não ouviu mais nada por causa do barulho da chuva; no dia seguinte de madrugada, a primeira coisa que fez foi perguntar a todos se não haviam ouvido a música estranha. Ninguém ouviu nada. Apenas Tomásio contou que dormiu um pouco, apesar do esforço que fez para continuar acordado. Havia dormido com o cigarro entre os dedos, depois sonhou; foi um lindo sonho. Tocavam sinos, de uma maneira muito bonita, e ele nunca tinha ouvido sons tão agradáveis. Pena que foi um sonho. Vera admirou-se:

— Eu também sonhei, Tomásio. Depois fiquei acordada uma porção de tempo e continuei a ouvir a música. Não era sonho, tenho certeza.

Henrique caçoou de Vera:

— Já sei. Você sonhou que estava acordada e que estava ouvindo música.

Ela protestou:

— Estava acordada, sim senhor, não era sonho. Ia levantar para falar com Tomásio, quando a chuva começou a cair e atrapalhou tudo.

Ficaram todos certos de que Vera tinha sonhado; Padrinho até riu, dizendo:

— Então estamos subindo a montanha que canta.

Eduardo também riu:

— Não sabemos se é a montanha que canta ou a montanha encantada. Temos de dar um nome; desconfio que é encantada, pois ontem ouvi coisas bem estranhas.

Ficou batizada — A Montanha Encantada —, mas ninguém falou mais nisso.

6

O ALTO DA MONTANHA

Nesse dia, à tarde, chegaram ao alto. A finalidade da excursão era descobrir por que a montanha brilhava de longe; ao chegar ao topo, nada viram de extraordinário. Apenas rochedos muito grandes e árvores altíssimas; não fizeram o acampamento bem no alto por faltar água nesse lugar; acamparam um pouco mais abaixo. Depois de armadas as barracas e as camas de campanha, almoçaram, soltaram os animais e foram explorar os arredores.

A vista era maravilhosa; viram o rio Paraíba, que se estendia lá embaixo como uma fitinha de prata; a casa da fazenda parecia um ponto branco quase perdido entre o arvoredo. Tudo parecia pequeno visto daquela grande altura.

Padrinho havia dito: "Vamos ficar uns três dias aqui. Assim teremos tempo de explorar toda a montanha, e quem sabe descobriremos coisas estupendas para contar depois".

A tarde da chegada passou sem novidade; todos se divertiram em andar de rochedo em rochedo procurando orquídeas e plantas raras entre as árvores. Com o binóculo que haviam levado, olhavam para todos os lados e viram fazendas vizinhas, gado que parecia formigas espalhadas pelos vales e planícies.

Quando a tarde caiu completamente, todos estavam cansados; foram tomar banho na nascente do rio, pois a água que despencava montanha abaixo tinha a nascente naquele lugar. Era uma água muito pura e clara que brotava entre avencas e samambaias, bem no meio das pedras.

Não puderam tomar banho porque a água era pouca; lavaram o rosto, as mãos, o pescoço e os pés e, depois de bem refrescados, foram jantar. Bento fez uma omelete deliciosa com queijo e presunto; depois comeram compota de pêssego com requeijão e bananas.

Deram milho aos cavalos e, depois de terem amarrado muito bem os animais, recolheram-se às barracas; a noite estava linda e o céu brilhava de tão estrelado. Conversaram algum tempo antes de dormir; Cecília disse:

— O que será que brilhava tanto aqui em cima? Lá de baixo a gente via aquele brilho; agora que a gente está aqui, não vê nada.

Henrique respondeu da outra barraca:

— Amanhã vamos explorar melhor a montanha; chegamos tarde e não houve tempo, amanhã vamos ver.

Quico bateu uma mão na outra:

— Temos que descobrir o mistério; eu vou descobrir nem que seja para ficar um mês aqui.

Vera falou:

— O que eu achei mais estranho foi o toque de sinos; nunca pensei que houvesse sinos em montanhas. Tomásio também ouviu...

Oscar perguntou:

— Será que você vai ouvir hoje outra vez? Se ouvir, me acorde, quero saber o que é.

Henrique falou:

— Vera ouviu sinos de alguma fazenda aqui por perto; todas as fazendas têm sinos para chamar os empregados; ela estava dormindo, acordou ouvindo som de sinos. Para mim é isso.

— Você já ouviu sinos tocando durante a noite? — perguntou Cecília.

— Quem sabe houve incêndio em alguma fazenda e os sinos tocaram para chamar gente para acudir?

Padrinho recomendou silêncio:

— Vamos dormir que é melhor; amanhã continuaremos a conversa.

Dormiram todos e houve grande sossego no alto da montanha. Mal o sol surgiu no dia seguinte, as três meninas, que tinham acordado primeiro, saíram das barracas. Os outros ficaram ainda dormindo. Acompanhadas pelos dois cachorrinhos, subiram até o ponto mais alto e sentaram-se numa pedra para admirar o panorama. Ficaram ali uns minutos, quando viram Quico e Oscar, que vinham na direção delas. Quico falou:

— Pensamos que vocês ainda estivessem dormindo...

— Qual o quê! — respondeu Cecília. — Fomos as primeiras a acordar; tive uma vontade danada de me levantar, chamei Vera e Lúcia e viemos para cá.

— Que lugar formidável, hein? — disse Oscar. — Parece que a gente está no topo do mundo.

Os dois meninos sentaram-se ao lado delas, sobre o enorme rochedo. Vera disse:

— Há montanhas muito mais altas que esta. Isto está longe de ser o topo do mundo...

— Sei muito bem — disse Oscar. — Os Andes devem ter uma altura louca.

— E o Himalaia então? — perguntou Lúcia. — É o mais alto do mundo.

— Hum! Ela sabe geografia — respondeu Quico.

Lúcia suspirou:

— Sei, como não? Mas agora eu queria um café com leite bem quentinho...

— Com pão de ló? — perguntou Oscar.

— O Bento vai acordar e fazer para nós — falou Vera.

Ficaram uns minutos em silêncio admirando o panorama; nesse instante a enorme pedra pareceu mover-se um pouquinho. Cecília avisou, um pouco assustada:

— Parece que a pedra está querendo cair, vamos descer.

— Impossível — disse Oscar. — Você está sonhando...

— Eu também senti a pedra se mexer — disse Vera. — O que será?

Não houve tempo de nada; o grande rochedo rangeu como se tivesse molas e as cinco crianças e os cachorros foram cair num lugar escuro e silencioso. Quico foi o primeiro a falar:

— Nossa Senhora! Que foi que aconteceu?

Ninguém respondeu; estavam tão assustados que não falaram; Vera gemeu:

— Ai! Será que não quebrei nada? Lúcia, onde você está?

A vozinha de Lúcia respondeu do outro lado:

— Estou aqui segurando no braço de Cecília. O rochedo virou conosco?

— Parece que virou — disse Oscar.

— Como é que podia virar sozinho?

Vera perguntou:

— E Pipoca? Onde estará meu cachorrinho?

Cecília respondeu:

— Estou segurando num rabo aqui; não sei se é Pingo ou Pipoca.

— E eu estou sentindo um focinho frio encostado na minha perna — disse Vera. — Ah! É você, Pipoquinha? O que foi que houve?

— Não sei — disse Oscar. — Desconfio que fomos enterrados vivos.

Cecília ficou apavorada:

— O quê? Enterrados vivos? Como vamos sair daqui agora?

— A pedra virou e nós estamos debaixo dela.

Nesse momento uma luz muito fraca brilhou num canto; a princípio não viram nada, só a luz avermelhada; depois distinguiram um homem pequenino que segurava uma lanterna acima da cabeça; tinha barbas compridas e esbranquiçadas. Cecília sussurrou ao ouvido de Vera:

— É um anãozinho; já vi igual no circo.

O homenzinho deu uns passos à frente e perguntou com voz firme:

— Quem são? O que vieram fazer no alto da montanha?

As cinco crianças ficaram pasmadas, com ar apalermado. Estariam sonhando? Impossível que todos tivessem um sonho igual. Os cachorros rosnaram, estranhando. O anão vestia uma roupa que parecia de veludo e tinha um gorro de penas brancas na cabeça. Vera e Lúcia lembraram-se de gravuras antigas, de gente vestida daquele jeito; Vera recuperou primeiro a coragem; achou graça no anão vestido com aquelas roupas e falando um português arrastado, como o que se fala em Portugal. Deu um passo e respondeu com toda a delicadeza:

— Viemos fazer uma excursão até aqui no alto desta montanha com nosso Padrinho, que tem uma fazenda lá embaixo. Dormimos em barracas e levamos três dias para chegar. Hoje cedo levantamos para ver o panorama aqui de cima e sentamos numa pedra muito grande. De repente a pedra virou... não compreendemos o que aconteceu...

O anão sorriu levemente; diante daquele sorriso, todos tiveram vontade de falar, de perguntar alguma coisa. Oscar dirigiu-se ao anãozinho:

— O senhor mora aqui? Tem casa na montanha?

— Nasci aqui e vivi sempre aqui — respondeu ele.

Com a lanterna suspensa, o anão examinava as cinco crianças atentamente; da mesma maneira as crianças o examinavam. O olhar do anãozinho baixou para Pingo e Pipoca:

— São seus cães?

— São, sim senhor; vieram conosco — disse Lúcia.

Os dois cachorrinhos, meio desconfiados, estavam encolhidos junto às pernas das crianças. O anão falou:

— Há muito tempo tivemos cachorros aqui. Mas o último morreu há muitos anos e não temos mais nenhum.

Cecília, que estava sem coragem de falar, animou-se diante do olhar bondoso do anão:

— O senhor mora aqui... sozinho?

Ele riu francamente:

— Não. Somos muitos, somos mais de cem pessoas dentro da montanha.

As crianças arregalaram os olhos:

— Mais de cem? E moram dentro da montanha?

— Mas há casas lá dentro? Como é que vivem?

— Venham ver — disse o anão.

— Precisamos avisar Padrinho; ele pode estar nos procurando...

Mas o anão já caminhava na frente e as cinco crianças não tiveram outra alternativa senão acompanhá-lo, pois quem ficasse atrás ficaria em plena escuridão. Os dois cachorros também foram. Atravessaram um corredor escuro, um segurando na mão do outro para não se perderem, passaram por uma porta que parecia de ouro, de tão brilhante, depois por outro corredor e outra porta. Subiram e desceram ladeiras, pois o caminho não era plano.

Chegaram finalmente a uma espécie de rua; era muito estreita e calçada com uma pedra escorregadia; de cada lado havia umas janelas cravadas nas paredes e, em todas essas janelas, apareciam cabeças que espiavam com curiosidade o grupo de crianças. Uns pareciam velhos, outros moços; uns estavam sérios, outros rindo, e todos pequeninos e vestidos à moda antiga. Os meninos perceberam que estavam num mundo completamente desconhecido para eles, um mundo que eles não imaginavam que pudesse existir.

Andavam juntinhos e estavam com um pouco de medo, mas não sabiam por que tinham medo, pois todas as fisionomias eram simpáticas e bondosas, apesar de esquisitas. Era uma gente diferente, estranha; todos os habitantes eram pequenos, não mediam mais de um metro de altura. As crianças pareciam gigantes perto deles.

Pararam no fim da rua porque o anão que ia na frente também parou; Quico escorregou e quase caiu; endireitou-se e ficou muito desapontado porque vários anões estavam sorrindo. Quico olhou para o chão e sussurrou para os companheiros:

— Vocês não viram nada! O chão é feito de ouro! A calçada é de ouro!

— Impossível! — disse Oscar. — Quico está sonhando.

Os outros olharam para o chão. Vera inclinou-se e passou a mão na calçada:

— Credo! Se não é, parece; por isso é que a gente escorrega. Olhem como Pipoca escorrega também!

Os dois cachorrinhos pareciam dançar; e em cada passo que davam, deslizavam como se patinassem. O anãozinho que os tinha levado mandou-os esperar e sumiu por uma porta lateral; os outros, cada um vestido da maneira mais engraçada, rodeavam as crianças e sorriam. Oscar perguntou:

— Afinal, onde é que estamos?

7

UM PEQUENO MUNDO DENTRO DA MONTANHA

Um dos anões, que possuía uma barba branca e parecia o mais velho de todos, aproximou-se e falou:

— Estão na nossa cidade. Desde o tempo dos avós dos nossos avós vivemos aqui nesta montanha e nunca ninguém veio perturbar nossa paz. Só vocês... E ainda perguntam onde estão. Nós é que devíamos perguntar o que vieram fazer aqui...

Riu-se e os outros que haviam se aproximado riram também. Cecília falou:

— Nós não sabíamos, senão não teríamos vindo perturbá-los. Viemos dar um passeio até o alto com nosso Padrinho. Não temos culpa se a pedra em que estávamos sentados virou conosco.

Lúcia perguntou:

— E como podem viver aqui? Não falta ar? Tem comida?

O de barba branca riu mais e perguntou:

— Está faltando ar para você?

— Não.

— Ora essa, nem para nós!

Duas anãs haviam se aproximado de Lúcia, Vera e Cecília; examinavam as três meninas e sorriam. Uma delas perguntou:

— O mundo lá fora é muito bonito?

— É sim — disse Vera. — Uma beleza.

O de barba branca falou, irritado:

— Mulher é sempre curiosa, olhem o que ela quer saber.

O anãozinho que os havia guiado apareceu pela mesma porta, dizendo:

— O príncipe espera-os; quer conhecê-los. Façam o favor de me acompanhar.

Quico disse baixinho:

— O quê! Eles têm príncipe!

— Psiu! — fez Oscar. — Não fale.

Acompanharam o anão e entraram pela porta indicada. Cecília queria saber se eram eles quem tocavam sinos, mas não teve tempo. Entraram num salão magnífico, enfeitado com pedras preciosas; não havia ninguém. Lúcia, que carregava Pingo no colo, teve medo. Murmurou:

— O que será que eles querem de nós?

— Decerto querem conversar — disse Vera. — Saber como é o mundo, como é que a gente vive, pois eles vivem aqui dentro desta montanha e não saem nunca. Vou carregar Pipoca, senão ele é capaz de fazer alguma coisa imprópria aqui neste salão tão bonito.

— Eu acho que eles são bons — disse Cecília. — Gente que ri e é amável com os outros não pode ser má.

— Também acho — murmurou Oscar. — Mas que beleza de salão... Vejam só!

Nesse momento, uma porta abriu-se na parede, na frente deles, e apareceu um grupo de anões com roupas de veludo de várias cores. Um deles tinha uma coroa de brilhantes na cabeça; devia ser o príncipe. O guia falou, adiantando-se um pouco:

— São essas as pessoas que eu vi subindo a montanha há dois dias. Prendi-os hoje; são crianças... Disseram que vieram fazer uma excursão até o alto e sentaram-se no rochedo para admirar a paisagem...

Os outros começaram a rir imaginando o susto que eles haviam levado quando o rochedo virou. Quando pararam de rir, o príncipe levantou a cabeça e fixou os olhos nos meninos, nas meninas e nos cachorrinhos. Perguntou:

— O que vieram fazer aqui? Sabiam da nossa existência?

Oscar resolveu contar a verdade; disse que havia um tal brilho no alto da montanha que chamou a atenção dos que moravam lá embaixo, na fazenda do Padrinho, por isso resolveram fazer uma excursão para ver se descobriam o que era aquilo. O príncipe passou a mão pela testa:

— Já sei! É a experiência que Roque está fazendo com os diamantes. Digam a ele que pare com isso, do contrário vai atrair o mundo inteiro para cá... Com essa mania de astronomia...

As crianças souberam depois que Roque, um dos anões, tido como sábio, juntava uma imensidade de diamantes e pedras preciosas e ficava no alto da montanha querendo atrair os habitantes da Lua com aquele brilho extraordinário. Era louco por astronomia.

Depois que o príncipe disse isso, dois anões vestidos de amarelo-claro saíram da sala; com certeza foram executar as ordens do príncipe e avisar Roque para parar com as experiências.

O príncipe sentou-se numa cadeira toda trabalhada em ouro; fez um sinal para que as crianças se aproximassem. As três meninas ficaram na frente, Oscar e Quico mais atrás. Ao lado deles, havia uma dúzia de anões; um deles estava com vontade de passar a mão na cabeça de Pipoca; estendia o braço e encolhia outra vez como se não tivesse coragem, depois deu uma risadinha muito engraçada.

O príncipe fazia uma porção de perguntas às crianças, queria saber tudo. Oscar falou um pouco, depois Vera e Quico. O príncipe então contou a própria história: disse que depois que Pedro Álvares Cabral descobriu o Brasil, vieram muitos portugueses para cá, a fim de ficarem residindo na nova terra. Um deles chegou no tempo de Mem de Sá e trouxe uma dúzia de anões portugueses para representar no teatro e divertir as pessoas daquele tempo.

Os anões vieram e foram ficando; acostumaram-se tanto no Brasil que não quiseram mais voltar para Portugal. As famílias foram aumentando.

Certa ocasião houve uma briga muito grande no Rio de Janeiro entre índios e portugueses; como os anões eram pequenos e não podiam combater, resolveram fugir. Embrenharam-se pelo mato e andaram dias e noites sem parar; passaram fome e frio. Alguns não resistiram e morreram no caminho. Afinal chegaram ao pé daquela montanha depois de muito caminhar; naquela montanha viram-se rodeados de índios ferozes.

Juntaram as últimas forças que ainda tinham, galgaram a montanha e esconderam-se no meio do mato, lá em cima. Temendo que os índios os descobrissem naquele lugar, escavaram a terra por trás de um rochedo e ficaram escondidos ali dias e dias, comendo raízes e bebendo água.

Tinham trazido com eles algumas galinhas, cavalos e cães; resolveram morar sempre no alto, pois ao menos estavam longe dos índios ferozes e dos perigos. Havia água em abundância da fonte que nascia entre as pedras.

Um dia resolveram aumentar a escavação para que a moradia ficasse mais agradável: descobriram então uma grande caverna muito confortável e cheia de diamantes, ouro e pedras preciosas. Essa caverna ficava no centro da montanha. Como não precisassem de ouro, começaram a trabalhar com ele, usando-o como material comum; fizeram cadeiras de ouro, casas de ouro, calçadas de ouro, portas de ouro. Isso tinha acontecido há muitos anos, no tempo em que viviam os avós dos seus avós.

Com o correr do tempo haviam nascido mais anões e por isso eles agora eram muitos; as famílias haviam aumentado. Os cavalos haviam morrido, porque não podiam correr dentro da montanha; os cães também haviam morrido, mas as galinhas não; estas haviam aumentado tanto que agora eram em número considerável.

Assim viviam ali, no alto da montanha, os descendentes daqueles que se esconderam dos índios ferozes; sentiam-se felizes e não pretendiam deixar nunca mais a cidade que haviam construído. Ali dentro não havia guerras, nem índios, nem maldades, nem perseguições. Viviam todos uma vida alegre e pacífica.

Ele era príncipe porque seu povo o havia elegido para governar; iria casar-se no dia seguinte com a princesa Filó, que eles brevemente iriam conhecer. Viviam no meio de ouro e comiam em pratos de ouro, mas isso não tinha valor para eles. Nem o dinheiro. Para que o dinheiro, num lugar em que o ouro era tão abundante e vivia rolando pelas ruas? Por isso eram felizes; não havia ambição, nem ganância, nem inveja entre os anões.

Quando o príncipe acabou de falar, uma porta rangeu de leve entre as paredes e uma anãzinha muito bonita entrou no salão; estava vestida com um tecido feito de fios de ouro e diamantes. Mal cumprimentou o noivo e os outros que estavam com ele, olhou as crianças e perguntou numa vozinha infantil:

— São as crianças encontradas na porta da nossa cidade?

O príncipe levantou-se, dirigiu-se a ela e, com toda a cerimônia, inclinou-se e apresentou-a às crianças estupefatas:

— Minha noiva, a princesa Filó!

8

A CIDADE MAIS RICA DO MUNDO

Houve um breve silêncio, depois a princesinha sorriu e perguntou a Cecília, levantando a cabeça, pois a menina era bem mais alta:

— Como é seu nome?

— Cecília.

— E você? E você? — perguntou aos outros.

Depois que todos disseram seus nomes, quis saber os dos cachorrinhos; coçou a cabeça de Pingo e voltou-se para o príncipe:

— Mande os meninos para minha casa; quero hospedá-los.

Oscar, Quico e Vera ficaram um pouco assustados. Como? Então eles iam ficar ali dentro da montanha? E o Padrinho? Não os estaria procurando lá fora? Era preciso explicar que eles tinham de voltar, não podiam ficar na cidade dos anões. Oscar resolveu falar:

— Senhor príncipe, viemos até aqui por acaso, mas agora precisamos voltar para nossa casa. O senhor podia fazer o favor de nos mandar levar para fora da montanha outra vez?

O príncipe consultou os companheiros ao seu lado, cochichou com o guia que havia acompanhado as crianças e respondeu:

— Vocês são meus prisioneiros; irão embora quando eu decidir que podem ir.

Vera ficou nervosa e quis intervir também:

— Mas, príncipe, senhor príncipe, nós não podemos ficar aqui; temos de ir embora.

— Irão quando eu quiser — tornou a responder o príncipe.

A princesa Filó despediu-se de todos e deixou o salão acompanhada por duas anãs vestidas de branco; o príncipe deu ordem ao guia para que levasse as crianças à casa de Filó. Foram todos; atravessaram duas ruas calçadas de ouro; na esquina de uma delas, quatro crianças brincavam com umas pedrinhas coloridas; faziam uma espécie de jogo. Quico ficou espantado e sussurrou aos companheiros:

— São pedras preciosas. Vejam que maravilha!

Pararam uns instantes para olhar; um jogava safiras, outro rubis, outro esmeraldas e outro ametistas. Vera murmurou:

— Que beleza!

Oscar falou baixinho para os outros companheiros:

— Estou pensando em fugir; temos de fugir de qualquer jeito. Como fomos cair prisioneiros desta gente? E depois, até quando? E nossas famílias não ficarão aflitas? Não podemos ficar aqui.

Cecília fingiu-se muito interessada no jogo dos anõezinhos e falou também:

— Oscar tem razão. Vamos tratar de fugir, mas de que jeito? Quem sabe a gente pode dar alguma coisa para o guia e ele nos põe para fora?

— Dar o quê? — disse Lúcia. — Eles têm tudo, ouro em quantidade, eles não vão aceitar nada. O príncipe disse que nesta cidade não se usa dinheiro.

Quico teve uma ideia:

— Quem sabe a gente descobre alguma coisa que lhes agrada muito; vamos perguntar o que o guia mais aprecia e quem sabe assim ele nos ajudará.

O guia estava chamando; perguntaram-lhe o nome, disse que se chamava Julião. Andaram mais um pouco e chegaram à casa da princesa Filó. Era uma linda vivenda, baixinha, com pedrinhas de todas as cores enfeitando as paredes; as telhas eram feitas com pedaços de diamantes; toda ela tinha um brilho extraordinário. Oscar, que era o mais alto, deu logo uma cabeçada na porta de entrada; na mesma hora o galo cresceu. Os outros riram e ele ficou zangado, dizendo:

— Outros vão dar cabeçadas também...

Entraram. Filó esperava-os num pequeno salão todo atapetado; perguntou se eles estavam com fome e se queriam comer alguma coisa. Veio uma anã trazendo uma bandeja de ouro cheia de bolos de mel; os meninos comeram alguns, depois deram outros aos cachorros. Começaram a conversar com a princesa e foram perdendo a cerimônia; perguntaram muita coisa.

A princesa ria e achava muita graça. Procurou brincar com Pipoca, mas Pipoca estava desconfiado, sem querer muita brincadeira. A aia da princesa simpatizou com Pingo; a todo momento procurava coçar a barriga dele, mas Pingo, aborrecido, fingia querer pegar a mãozinha da aia fazendo "nhoc". Ela dava um gritinho e recolhia a mão.

As outras anãs, companheiras de Filó, contaram que há dois dias esperavam a chegada dos estrangeiros, pois Julião, que era a eterna sentinela da cidade, tinha ouvido rumor de gente subindo a montanha. Então foi ver; uma noite, saiu por uma porta invisível, que só ele conhecia, e foi espiar os estrangeiros. Viu as barracas, rondou por elas, sondou tudo, ouviu os latidos dos cachorros...

As crianças lembraram-se de que Eduardo tinha ouvido passos uma noite à volta das barracas; tinha sido Julião. Vera perguntou se eles não tocavam sinos durante a noite; responderam que sim. Há uma semana os sinos tocavam festivamente para anunciar o casamento dos príncipes; de dia e de noite.

Estavam todos sentados no tapete à volta da princesa; depois de conversarem muito, Filó perguntou se eles não queriam conhecer a cidade. Os meninos não queriam outra coisa; saíram acompanhando Julião, que ia na frente, e mais três anões que se juntaram à comitiva. Filó ficou numa das janelas da casa, rodeada de safiras, e disse adeus com a mãozinha cheia de anéis. Lúcia murmurou:

— Que amor de princesa!

Dobraram uma esquina, atravessaram uma rua e entraram num pequeno edifício; em todas as janelas havia gente espiando, pois a notícia correu por toda a cidade e todos queriam ver as crianças estrangeiras. As ruas e

casas eram iluminadas com lamparinas; Oscar perguntou a Julião o que havia nas lamparinas; o anão respondeu que era uma resina que escorria das paredes de certa gruta e produzia a luz que iluminava a cidade.

Entraram no pequeno edifício a que chamavam Casa do Mel. Havia uma torre com um brilhante em cima indicando o mel. Havia milhares de colmeias lá dentro, tratadas com muito carinho, pois o único açúcar que havia na cidade era proveniente do mel que as abelhas fabricavam. Elas eram tão mansas que passeavam sobre as cabeças e as mãos dos anões que as tratavam. Havia seis anões tratando das abelhas. Depois de terem olhado tudo muito bem, deixaram a Casa do Mel e foram à Casa dos Tecidos.

Nessa outra casa, mais adiante, toda bordada de filigrana de ouro na fachada, havia milhares de aranhas tecendo para os anões. Os fios que elas produziam eram depois mergulhados em ouro líquido e só então serviam para a confecção de roupas para todos os habitantes da cidade. Havia aranhas de várias espécies; umas teciam fio fininho, que servia para fazer as sedas; outras, fios mais espessos, para os veludos; outras teciam fios ainda mais grossos que eram utilizados na fabricação de sapatos.

Por isso todos os habitantes andavam bem vestidos, com roupas de veludo e seda tecidas de ouro; não havia gente malvestida naquela cidade. Seis anões tratavam das aranhas, que eram também muito mansas, não faziam mal e passeavam sobre suas mãos e cabeças. As crianças, porém, não tiveram coragem de chegar muito perto; ficaram olhando de longe.

Deixaram a Casa dos Tecidos e foram ver a Casa dos Sapatos; aí eram feitos sapatos para toda a cidade. Como não havia lama nem pó naquela cidade encantadora, os sapatos eram também forrados de veludo e ouro. Tinham as pontas reviradas e muitos deles eram enfeitados com safiras e rubis.

Deixaram a Casa dos Sapatos e dirigiram-se para outro lado da cidade; ali moravam os galináceos de que se alimentavam os habitantes da cidade. Viram então milhares de galinhas numa espécie de galinheiro, cujos poleiros eram de ouro. Eram todas da raça garnisé. Vera perguntou a Julião:

— Dão milho às galinhas?

— Não conhecemos isso — disse Julião. — Damos bichinhos da terra e verduras.

Então eles viram doze anõezinhos cavando a terra à procura de minhocas para dar às galinhas; uma anã gorda e um pouco velha andava de um lado para outro juntando os ovos numa panela de ouro. Lúcia perguntou baixinho para fazer graça:

— Os ovos também são de ouro?

— Psiu! — fez Quico. — Não fale assim...

Foram depois visitar a igreja; era uma linda capela cheia de imagens; Nossa Senhora tinha um Menino Jesus de ouro no colo e, sobre a cabeça, um diadema de brilhantes.

Ajoelharam e rezaram; pediram a Deus que acalmasse Padrinho, que devia estar aflito com o desaparecimento deles. Mas estavam gostando tanto de tudo quanto viam... Quando iam deixando a igreja, pan!, uma batida de Quico na trave da porta de entrada e um galo na testa. Os outros riram; nisso ouviram o som de um sino; era um som lindíssimo e muito agradável. Julião disse:

— É hora do almoço; vamos voltar.

Foram outra vez para a casa da princesa, que os esperava com o almoço; entraram nos aposentos de Filó para lavar as mãos e pentear-se; foram depois conduzidos a uma sala onde eram servidas as refeições. Filó sentou-se numa almofada diante de uma mesinha com pés de esmeralda; as crianças sentaram-se à volta sobre almofadas de veludo e ouro. Não havia cadeiras. A princesa ria e conversava; queria saber o que as crianças tinham achado mais interessante. Foi servido o almoço, veio um prato com coxas de garnisé e pão de mel com bolos de cará; depois, chá feito com ervas da montanha.

As crianças comeram um pouco porque tinham fome, mas não gostaram do almoço; os pratos eram de ouro, assim como os talheres. A princesa explicou que o chá era feito de uma planta que eles cultivavam, mas nenhuma das crianças conseguiu tomar. Pingo e Pipoca deliciaram-se com os ossos de frango garnisé; já estavam familiarizados e corriam sobre as calçadas de ouro fazendo grande sucesso entre os habitantes da cidade.

Os meninos escorregavam muito; então Filó mandou vir sapatos próprios, com sola de veludo, para que eles não caíssem, mas não houve sapatos que servissem, pois os pés das crianças eram enormes. A princesa ordenou que fossem feitos sapatos apropriados e as medidas foram tomadas; só ficariam prontos no dia seguinte. Depois do almoço, as crianças permaneceram sentadas no chão conversando com a princesa Filó e as suas companheiras. A princesa teve muitas visitas naquele dia; toda a cidade queria ver aquelas crianças desconhecidas, grandes como gigantes. Estranhavam também os cachorros; muitos não conheciam animal dessa espécie; sabiam da existência de cachorros pelos desenhos que haviam herdado dos antepassados, mas há muitos, muitos anos, não havia cães na estranha cidade dos anõezinhos.

9

A CIDADE MAIS POBRE DO MUNDO

Os meninos continuavam a pensar em fugir, mas não haviam encontrado ainda uma ocasião propícia para a fuga. Oscar e Quico olhavam para todos os cantos da cidade, espiavam Julião para ver quando ele ia ficar de sentinela no alto da montanha, perguntavam aos outros anões de que lado ficava a entrada da cidade, mas nada adiantava. Estavam como que num labirinto; não sabiam por onde sair.

As visitas, que nesse dia desfilaram diante das crianças, faziam perguntas extravagantes. Uma perguntava se os índios ainda rodeavam a montanha, outra queria saber de que forma eles haviam chegado até ali e se livrado dos ferozes índios.

As crianças explicaram que não havia mais perigo; os matos e florestas haviam se transformado em magníficas cidades, nas quais havia casas muito grandes e muito altas, da altura daquela montanha, e jardins bonitos com flores perfumadas nos canteiros.

Um anão já velho e curvado suspirou:

— Flores? Flores? São coisas muito delicadas e de cores variadas, não são?

As crianças confirmaram; Quico pediu um lápis e papel para desenhar, mas lá não havia nada disso; então trouxeram um pedação de carvão para que Quico desenhasse uma flor na parede, mas não foi possível; ele fez o que pôde, mas a flor ficou horrível e ninguém compreendeu. Só os mais velhos sacudiam a cabeça e diziam que as flores eram lindas, eles sabiam porque os antepassados haviam contado e isso corria de geração a geração, mas naquela cidade de ouro infelizmente não havia flores. Nenhuma flor. Que tristeza!

Cecília lembrou-se de perguntar se lá não havia passarinhos. Os mais moços olharam uns para os outros sem compreender, apenas os mais velhos disseram que não; sabiam o que eram pássaros; eram animaizinhos que voavam e cantavam; uns tinham cores belas e brilhantes, outros tinham cores menos belas; cantavam lindas melodias que nunca ninguém pôde imitar e atravessavam o espaço de um lado a outro enfeitando a natureza. Mas, ah!, lá não havia pássaros.

O anão de barbas brancas, todo curvado, suspirou outra vez e sacudiu a cabeça. Que pena! Naquela cidade de ouro, onde as crianças brincavam com pedras preciosas, não havia pássaros nem céu para alegrar a vida daquelas criaturas. Que tristeza!

Vera lembrou-se do sol. Perguntou:

— E o sol? Nunca chega até aqui?

Eles riram. Não. Não tinham a felicidade de ver o sol; sabiam o que era isso, mas lá onde viviam o sol não chegava nunca. Viviam na sombra, dentro da terra. O sol que ilumina, que brilha, que aquece, que enfeita, que alegra, que dá vida e calor, não existia na cidade de ouro. Que pena! O velho de barbas brancas suspirou outra vez, cada vez mais curvado. Não tinham sol, por isso não tinham flores lindas e perfumadas, nem pássaros para alegrar a cidade. Que tristeza!

Oscar, que gostava de ler, perguntou se eles não tinham livros. Livros? Não, infelizmente não. Seus antepassados haviam contado de geração em geração o que eram os livros, mas nenhum livro havia ficado para eles verem. Nenhum. Haviam desaparecido com o tempo. Sabiam que os livros instruem, educam, distraem, ensinam, mas, ah!, infelizmente não tinham livros. Que pena! O velho de barbas brancas sacudiu a cabeça tristemente e suspirou:

— Ah! Os livros! São o alimento do espírito assim como a comida é o alimento do corpo. Eu sei porque o pai do pai do meu avô contou o que são os livros, mas não temos aqui. Que tristeza!

Lúcia, que estudava piano, perguntou se não gostavam de música; entreolharam-se outra vez sem compreender. Música? O que era isso? Lúcia estendeu os braços e mexeu os dedos como se estivesse tocando piano; eles riram e não responderam. O anão de barbas brancas lembrou-se e seus olhos brilharam de contentamento:

— Música? Eu sei o que é isso. Nossos antepassados contavam o que era a música. É uma melodia divina que ouvimos vinda de diversos instrumentos; nossos ouvidos gostariam de ouvir essas maravilhas de som... Mas, ah!, infelizmente não temos instrumentos para tocar, só temos sinos de ouro. Temos sinos em vários tons que vão anunciar amanhã o casamento dos príncipes. Não temos a divina música. Que tristeza!

A princesa mandou servir chá de erva da montanha aos visitantes; enquanto todos o tomavam em xícaras de ouro, o velho suspirou novamente, cada vez mais curvado, e disse:

— Nossa cidade é a mais pobre do mundo!

As crianças protestaram; Quico falou:

— Não diga isso! Uma cidade onde há tanto ouro e pedras preciosas não pode ser pobre. É riquíssima!

O velho anão sorriu tristemente:

— Meus filhos, a riqueza não consiste apenas no ouro e nas pedras preciosas que vocês estão vendo. Eu já vivi muito e sei o que digo; a riqueza não está nas casas de ouro com janelas de safiras, nem nos pratos de ouro, nem nas xícaras de ouro nas quais vocês tomam chá, nem nas vestes de brilhantes! A maior riqueza está aqui, aqui, aqui e aqui... — E mostrou os olhos, os ouvidos, o coração e a cabeça.

Depois continuou:

— Com eles poder ver os pássaros voando e as flores nos jardins, poder ouvir a divina música que enternece os corações, poder sentir o sol que aquece e cura, poder ler os livros que ensinam e consolam. A maior riqueza é a do espírito, meus filhos, nunca se esqueçam disso! Nós temos olhos, ouvidos, coração e cabeça, mas não temos o que apreciar, portanto todo este ouro, todos estes brilhantes de nada valem. E aquele que não pode ou não sabe apreciar a beleza de uma flor, admirar o voo de um pássaro, ler um livro, ouvir uma música, sentir o sol... pode possuir as maiores riquezas deste mundo... será sempre pobre, o mais pobre dentre os pobres da terra...

10

A VIDA DOS HABITANTES DA MONTANHA

Naquela mesma tarde, as crianças foram convidadas a vestir as roupas da princesa Filó. Primeiro tomaram banho numa espécie de piscina cravejada de esmeraldas; a água era morna e muito agradável.

Os cachorrinhos também foram lavados e esfregados com ervas aromáticas, pois lá não havia sabão. Entraram depois nos aposentos da princesa para se vestirem; Vera, Lúcia e Cecília vestiram mantos brancos até os pés, pois os vestidos de Filó não serviram para elas.

Oscar apareceu vestido de veludo vermelho, mas a calça estava tão apertada que quase arrebentava; Quico vestiu uma espécie de túnica azul, que se abria a todo instante mostrando as pernas nuas. Pingo e Pipoca apareceram com bonés de veludo amarelo na cabeça.

Estavam todos prontos esperando o príncipe, que viria jantar com a princesa pela última vez antes do casamento, pois a cerimônia e os festejos seriam no dia seguinte. Estavam todos na sala e um dos anões brincava com Pipoca; de repente deu um salto e caiu de quatro no chão, como se tivesse visto alguma coisa muito interessante. Outros quatro anões ficaram também de quatro e saíram dando pulos esquisitos; Vera começou a rir e disse aos companheiros:

— É uma pulga! Eles querem pegar a pulga que estava no Pipoca; acho que nunca tinham visto isso.

Os outros, curiosos, queriam saber o que era; de repente, quinze anões e anãs começaram a caçar a pulga por toda a parte. Filó começou a dar gargalhadas e não parava mais; queria saber que bichinho era aquele, nenhum deles conhecia pulgas. O velho anão correu à sua casa e trouxe uma caixinha de filigrana de ouro para guardar aquela maravilha; as crianças explicaram que se deve matar as pulgas, pois elas são sujas, transmitem doenças e não deixam a pessoa dormir... Qual o quê! Todos queriam ver a pulguinha na caixinha de ouro. Afinal ela foi caçada e trazida com todo o cuidado diante da princesa. Puseram-na dentro da caixinha de ouro; logo a notícia correu pela cidade e houve um desfile de anões para ver a pulga dentro da caixinha.

Pipoca tornou-se uma espécie de herói, mas não gostou muito. Puseram-no sentado numa almofada de veludo e ele ficou meio encabulado com o boné amarelo caído num lado da cabeça. Cada vez que ele se coçava, uma porção de anões ia se debruçar perto de Pipoca para pegar mais um daqueles bichinhos tão graciosos...

Alguns anõezinhos lembraram-se de procurar mais algumas no pelo do cachorrinho, mas Pipoca rosnou, reagindo. Então dirigiram-se a Pingo; com muito carinho, cataram pulgas em Pingo durante algum tempo; Pingo foi deixando... quando pela terceira vez viraram-no de barriga para cima, ele só fez "nhoc" e quase engoliu a mão inteira de uma mocinha que tinha menos de um metro de altura.

Depois disso, os anões ficaram com medo dos cachorros, mas conseguiram três pulgas gordas e puladeiras para a caixinha de filigrana. À hora do jantar, um sino anunciou a chegada do príncipe; ele apareceu acompanhado por três secretários. Saudou a noiva e as crianças, achando graça nas roupas e nos cachorrinhos.

Foi então servido farto jantar; veio primeiro um prato de cristas de galo com molho de erva-doce, depois ovos recheados com mel, em seguida suspiros e chá da montanha.

As crianças, sentadas no chão à volta dos príncipes e dos outros convidados, conversavam e comiam tudo o que lhes ofereciam, apesar de às vezes não gostarem muito. Quando foi servido o chá, Cecília suspirou e disse baixinho:

— Será que não há mais nada? Eu não comi ainda, pensei que ia começar agora...

— Qual o quê! — disse Oscar. — O regime aqui é bravo; temos que comer como se fôssemos anões. E as cristas de galo estavam bem gostosas; vou pedir a receita e levar pra mamãe...

Lúcia sussurrou:

— Quantos galos a gente precisa matar para comer só as cristas? Eu não gostei.

— Mas comeu tudo o que havia no seu prato.

— É porque estava com fome. Eles são pequeninos, não têm fome, vivem de suspiros, mas eu tenho... ora essa!

Vera disse:

— Esperem um pouco. Eu já estive na cozinha e fiz amizade com as cozinheiras. Vou ver se arranjo mais uns ovos por lá...

Quico pediu:

— Ao menos pão de mel. É bem gostoso...

Como todos tinham se levantado, Vera aproveitou para deixar a sala e ir à cozinha; quando vinha voltando com alguns pães de mel escondidos no manto branco... pan!, uma cabeçada na porta. Os outros começaram a caçoar... mas ela ficou vermelha e fechou carranca; depois ameaçou não lhes dar pão de mel; então ficaram quietos, mas tinham vontade de rir todas as vezes que olhavam para Vera. Lá estava o galão na testa.

Depois do jantar, os habitantes da cidade desfilaram em frente à casa da princesa; saudavam os príncipes e espiavam com curiosidade a caixinha com as pulgas. Riam quando elas pulavam, achando um amor. Alguns batiam palmas de entusiasmo.

Pingo e Pipoca já haviam derrubado os bonés; corriam de um lado para outro entusiasmados com o desfile dos anões; latiam de satisfação.

Oscar conversou com todos os anões; mas andou tanto de um lado para outro que a calça de veludo vermelho rasgou; então pediu ao velho de barbas brancas que lhe arranjasse uma túnica. O velho anão apareceu com um manto roxo e o colocou sobre os ombros de Oscar; assim mesmo o manto não tapava bem o rasgão. As outras crianças riram muito quando viram Oscar de manto roxo nas costas; disseram que ele estava com cara de São Sebastião, o que não lhe agradou muito.

O príncipe retirou-se depois do jantar, e nem falou em mandar as crianças de volta para fora da montanha. Oscar disse, quando ele saiu:

— Vamos tratar de fugir esta noite. Temos de fugir de qualquer jeito.

— Mas como? — perguntou Vera. — Eles vivem atrás de nós.

— Quando todos estiverem dormindo...

— E você sabe o segredo do rochedo por onde nós entramos?

— Hei de descobrir — respondeu Oscar.

A aia da princesa chegou e recolheu a meninada num quarto grande na própria casa da princesa.

Naquela cidade extraordinária, como a luz estivesse acesa dia e noite, ninguém sabia se era dia ou se era noite; ninguém tinha relógio; comiam e dormiam em horas determinadas por eles mesmos, o que era muito esquisito. Não sabiam quando o sol se escondia, pois não havia sol; mas também não havia noite, nem estrelas. Em vez do céu azul que cobre todas as cidades, havia ouro: abóbadas de ouro.

Durante as conversas, as crianças ficaram sabendo que as experiências de Roque haviam terminado, de modo que nunca mais ninguém veria a luz azulada lá no alto da montanha. O príncipe havia proibido as experiências do anãozinho sábio.

O ouro e as pedras preciosas eram tirados das entranhas da terra; aquela montanha parecia toda feita de ouro.

A criançada ficou toda no mesmo quarto e deitada em colchões feitos de penas de galo; eram macios, mas muito pequenos. Vieram mais colchões para cada criança, assim conseguiram deitar-se. Não havia camas, deitaram-se sobre os tapetes.

Pingo e Pipoca ficaram sobre almofadas de veludo; estavam satisfeitíssimos, pois nunca haviam vivido num luxo tão grande.

Vera e Cecília pensaram no Padrinho; estaria ele muito aflito, procurando as crianças por toda a montanha? Pediriam aos príncipes que os mandassem de volta no dia seguinte, depois do casamento. Estavam gostando, apesar de tudo, e queriam ficar para a festa do casamento.

Comeram pão de mel antes de dormir; sonharam com ouro, anões, príncipes, pulgas... De repente Lúcia acordou e viu Oscar com o manto roxo bem curto andando de um lado para outro; estava tão parecido com São Sebastião... Ele debruçou-se ao lado de Lúcia e sussurrou:

— Levante-se, vamos fugir agora...

Ela levantou-se e percebeu que os outros já estavam de pé no escuro; Vera e Cecília levavam os cachorros nos braços. Quico esfregava os olhos de sono; deslizaram sobre os tapetes sem fazer barulho e chegaram até a porta... Oscar, que ia na frente, empurrou de leve e a porta foi se abrindo... Ele aconselhou:

— Não se esqueçam de abaixar as cabeças, senão batem...

Todos abaixaram e passaram por essa porta; a escuridão era completa.

Atravessaram o segundo quarto; de repente Quico disse:

— Tropecei numa coisa mole, acho que é um colchão, alguém está dormindo aqui...

— Fique quieto — respondeu Oscar. — Deve ser a aia da princesa.

Abriram a segunda porta e passaram; chegaram ao salão onde a princesa recebia; estava deserto e havia uma luz muito fraquinha num canto. Assim chegaram até a porta da rua, toda cravejada de brilhantes; esta foi mais difícil de abrir porque estava bem fechada, mas Oscar conseguiu abri-la, porque examinou bem a fechadura durante o dia.

Saíram à rua; estava deserta e havia luzes fracas nas esquinas. Cecília cochichou:

— Até aqui tudo foi bem... Quero ver de agora em diante...

— Não seja desanimada — falou Vera. — Eu só sinto perder a festa do casamento.

— Eu também sinto, mas precisamos ir — disse Quico. — Os nossos parentes devem estar muito preocupados!

Foram andando bem devagar e curvados; dobraram a primeira esquina, andaram pela segunda rua, viraram outra esquina e foram dar outra vez em frente à casa da princesa. Quico disse:

— Viemos dar no mesmo lugar... Que história é essa?

— As ruas aqui são em círculo — disse Lúcia. — Eu acho que vamos ficar a noite toda rodando sem encontrar o caminho.

Oscar coçou a cabeça, desanimado:

— Durante o dia todo estudei o plano de fuga e não está dando certo; que cidade complicada!

— Isto aqui é um labirinto — disse Vera. — E o pior é quando chegarmos perto do rochedo, aí sim é que nós não encontraremos mesmo a saída.

A janelinha de safiras da casa da princesa abriu-se no mesmo instante e a aia apareceu toda risonha. Perguntou:

— O que estão fazendo aí fora? Não costumam dormir durante a noite?

— Viemos tomar um pouco de ar — respondeu Vera. — Íamos entrar agora mesmo.

— Agora não temos remédio senão entrarmos de novo — sussurrou Quico. — Vamos dizer que queríamos água para beber.

— Mas água é lá dentro e não aqui fora — disse Lúcia.

Oscar respondeu todo delicado para a aia:

— Estávamos com muita sede e como não achamos água aí dentro e não quisemos acordar a senhora, viemos procurar aqui fora. Não se incomode, já vamos entrar.

— E até podemos nos resfriar aqui fora com este sereno — disse Quico.

Tomou uma cotovelada de Vera:

— Onde é que tem sereno? Pois se não tem céu, não tem sereno.

— Fiquei tão atrapalhado que nem me lembrei — respondeu Quico.

Entraram de novo e acompanharam a aia até a cozinha, onde cada um teve que tomar água para confirmar o que haviam dito. Foram recolhidos outra vez ao quarto, onde ficaram fechados. Deitaram-se de novo e cochicharam durante mais de meia hora, combinando outra fuga para o dia seguinte.

11

A FESTA DO CASAMENTO

Despertaram no dia seguinte com o som de sinos tocando; Cecília disse logo:

— Foi esse som que Vera ouviu aquela noite na barraca, não foi, Vera?

— Foi — disse Vera. — Isso mesmo.

Ficaram ouvindo uns instantes; depois ouviram uns passos muito leves; eram as aias da princesa que vinham entrando e trazendo chá e pão de mel para as crianças. Todas estavam risonhas, pois esse dia seria uma data memorável na vida dos anões: a do casamento dos príncipes.

Toda a cidade estava em festa; os sinos repicavam, os anões passavam e tornavam a passar pelas ruas com bonitos trajes coloridos; todos estavam alegres. Quando as crianças viram tanta alegria e tanto movimento, até se esqueceram de fugir. Ficaram nas janelas da casa da princesa assistindo àquele vaivém contínuo.

Viram uma fila de anões trazer potes de mel da Casa das Abelhas; da Casa dos Tecidos veio outra fila trazendo os trajes novos da princesa, assim como roupas para as crianças, feitas sob medida. Os calçados próprios também chegaram e os anões, achando enormes os sapatos dos meninos, não se cansavam de olhar.

A festa começaria ao meio-dia. Às dez horas foram todos começar os preparativos. Ninguém tinha visto ainda a princesa, ela só apareceria à hora do casamento.

Vera, Lúcia e Cecília tomaram banho, depois entraram no quarto para se vestir. Vera disse:

— Um dia vou mandar uma caixa de sabonetes finos para a princesa; imagine a gente se esfregando com ervas aromáticas... Não gosto nada disso.

— Que ideia — disse Lúcia. — Pois eu vou mandar café; a princesa disse que tem uma vontade louca de experimentar nosso café.

— E eu vou mandar bombons — disse Cecília. — Imagine Filó comendo bombons com aquela boquinha tão pequenina, deve ser um amor.

— É capaz de achar tão bom que não há de querer outra coisa para o resto da vida — respondeu Vera.

Uma das aias da princesa havia contado, no dia anterior, que os vestidos das meninas seriam lindíssimos, haviam sido encomendados pela própria princesa. O de Vera era cor de sonho; o de Lúcia, cor do céu com todas as estrelinhas (Lúcia havia explicado a Filó como era o céu); o de Cecília, cor do arco-íris, conforme ela mesma havia explicado.

Estavam no quarto quando as aias entraram com os três vestidos nos braços. Vera foi a primeira a se vestir; o vestido cor de sonho tinha todas as cores. Era de gaze vaporosa e ia até os pés; os sapatos eram de veludo revirados nas pontas, acompanhando o vestido. O de Lúcia era azul, cheio de estrelas brilhantes; havia estrelas maiores e menores e o vestido era tão rodado que quando Lúcia dava uma reviravolta o quarto ficava cheio de gaze. O de Cecília tinha as cores do arco-íris: violeta, azul, verde, amarelo, laranja, vermelho, roxo... Os sapatinhos eram de cetim com as pontas reviradas para cima.

A aia da princesa penteou-as com um pente de ouro cravejado de rubis; era tão pesado que as meninas não podiam pentear-se com ele, pois não estavam acostumadas. A aia, que era pequenina e meio velha, sabia manejá-lo e com ele penteava todos os dias os longos cabelos de Filó.

De repente ouviram uma leve batidinha na porta; eram os dois meninos, que haviam se vestido no quarto próximo: Quico estava com meias compridas, calças curtíssimas de veludo amarelo, bem estufadas, uma jaquetinha azul e, sobre a cabeça, uma longa pena de galo garnisé. Estava muito encabulado por causa das pernas de fora;

quando ele se movia, a pena de galo balançava de um lado para outro.

Oscar estava vestido quase do mesmo jeito, calças de veludo amarelo e jaqueta cor-de-rosa. Os sapatos eram longos e as pontas reviradas para cima; tinha também uma pena de galo na cabeça.

As meninas bateram palmas quando viram os meninos assim preparados; e estes também as acharam muito elegantes.

O mais engraçado foi quando Pingo e Pipoca apareceram; a princesa havia dado ordens para enfeitarem os dois cachorrinhos e, como a aia mais velha gostava muito de Pingo, ela os enfeitou com carinho. Pingo estava com uma jaqueta vermelha e uma pena amarrada na cabeça; Pipoca tinha jaqueta roxa e pena de galo. Ambos não pareciam satisfeitos com as vestimentas e coçavam-se a todo momento porque as penas lhes faziam cócegas.

Ouviram um sino anunciando a partida do cortejo; por ordem de Filó, saíram e foram para a igreja a fim de esperar os noivos.

Quando estavam a caminho, Oscar disse ao ouvido de cada um:

— Ouvi dizer que depois da cerimônia vai haver um grande banquete no palácio do príncipe; acho que é a melhor hora para fugirmos; estejam todos preparados, eu darei o sinal.

Ficaram combinados. Seguiram para a capela, que estava repleta, quase todos os anões da cidade já estavam lá. As crianças ficaram numa tribuna especial porque eram convidados da princesa; quando o príncipe entrou, vestido de azul-claro, todos olharam para ele e o admiraram; na cabeça carregava uma coroa de brilhantes, tão pesada que o obrigava a andar meio curvado.

O mais bonito de tudo foi a entrada da princesinha Filó, toda de branco, muito vaporosa e risonha. A cauda do seu vestido tinha todo o comprimento da igreja; duas crianças a precederam vestidas inteiramente de ouro. O tapete que forrava a igreja estava coberto de confete de ouro, pois não havia flores. Era uma beleza: os sinos começaram a repicar: dlin! dlon! dlun! dlin! dlon! dlun!

E começou a cerimônia do casamento; um padre anão, depois de fazer um sermão muito comprido, deu a bênção aos noivos.

Vera, Lúcia e Cecília pensaram estar sonhando; Quico e Oscar nem pareciam respirar, olhavam tudo com olhos arregalados de espanto.

O príncipe e a princesa saíram da capela de braços dados; toda a população da cidade reuniu-se na praça da igreja para aplaudi-los. Bateram muitas palmas quando eles passaram a caminho do palácio do príncipe, onde seria servido o banquete. Os sinos tocavam sem cessar. As crianças, meio atarantadas, tomaram lugar atrás do cortejo, os cachorrinhos iam junto delas. Estavam com muita fome, pois a comida dos anões nunca era suficiente para aplacar o seu apetite.

Entraram no palácio do príncipe, que estava inteiramente enfeitado de ouro e brilhantes; a iluminação também havia sido intensificada, com dezenas de lanternas.

12

O BANQUETE

No salão principal havia uma mesa baixinha própria para os anões; tinha uns oito metros de comprimento e estava coberta de iguarias. Quico pensou nas coisas gostosas que iria comer; ficou tão distraído procurando adivinhar o que havia sobre as mesas que não reparou na porta quando passou. Pan! Uma cabeçada. Os outros quiseram rir, mas Quico fez carranca.

Como não havia música, tocavam sinos. Eram sinos pequenos e grandes, todos de ouro, e estavam colocados dentro dos salões; quando os príncipes entraram no salão principal, os sinos repicaram: dlin! dlon! dlun! dlin! dlon! dlun!

Todos desfilaram diante dos príncipes para cumprimentá-los; inclinavam-se diante deles e passavam adiante. Quando chegou a vez das crianças, Oscar foi o primeiro; fez uma grande reverência diante da princesa e rasgou um bom pedaço da meia comprida, que estava muito justa. Fingiu não perceber o acidente e continuou assim mesmo, com a meia rasgada em cima do joelho. Os outros também fizeram reverências, cada um por sua vez.

Cecília inclinou-se e o vestido cor do arco-íris, que era de gaze muito fina, deu uma rabanada na cara de Vera; Lúcia, que era a mais desembaraçada, fez o vestido cor do céu virar-se e aparecerem todas as estrelas; Vera, com o vestido cor de sonho, tropeçou na saia comprida e quase foi ao chão.

Começou o banquete; Cecília viu um prato todo enfeitado de vermelho e ficou com água na boca; pensou que fosse tomate, mas lá não havia tomates, então perguntou para uma anãzinha ao seu lado:

— Faça o favor de me dizer que prato é aquele?

— Cristas de galo — respondeu a anã.

Ela deu uma cotovelada em Lúcia:

— Vamos comer cristas de galo?

Lúcia disse que preferia outro prato, que ela estava olhando desde o princípio e devia ser novidade. Perguntou para um anão de bigode branco que estava comendo com muito apetite:

— Faça o favor de me dizer que prato é aquele coberto com molho esbranquiçado?

— Língua de galo — respondeu o anão, com a boca cheia.

Vera cochichou:

— Nossa Senhora! Tudo aqui é de galo! Também, coitados, eles não têm mais nada para comer.

— Mas têm ouro em quantidade que nós não temos — respondeu Lúcia.

— Mas o que adianta tanto ouro se não podem comprar nem um bife, nem batatas fritas? — questionou Vera, que gostava muito de batatas fritas.

Cecília disse:

— E quantos galos não precisam matar para fazer esse prato? Língua é uma coisa tão pequenina, decerto é do tamanho da minha unha.

— Nem fale — respondeu Lúcia.

Quico, um pouco adiante, comia um quitute amarelo; Oscar perguntou:

— O que você está comendo, Quico?

— Ovos de galo — ele respondeu.

As meninas começaram a rir, e Cecília perguntou:

— De galo ou de galinha?

Riram mais e começaram a comer ovos; havia ovos em todas as modalidades: cozidos, fritos, crus, temperados, sem tempero, com mel, sem mel, com casca, sem casca...

Os doces também eram variados e todos feitos com mel, pois não havia açúcar. A única bebida era chá, feito com uma erva perfumada que brotava dentro da montanha.

Os anões comiam, bebiam, conversavam e riam; os príncipes sorriam, os sinos tocavam, os cachorros latiam ou roíam ossos debaixo da mesa. A pena de galo de Oscar tinha caído nas costas; a de Quico estava dependurada numa orelha. O vestido cor de sonho de Vera estava meio rasgado porque, à saída da igreja, um anão o pisou com toda a força.

Os cachorrinhos já estavam sem penas nas cabeças e com as jaquetas fora do lugar; Pingo tinha a sua na barriga; andavam debaixo das mesas e, quando as pessoas os esqueciam, davam latidos pedindo ossos de galo.

Mais de uma hora ficaram ali comendo e bebendo; o anão mais velho da montanha, o de longas barbas brancas que tinha ouvido falar nas flores, nos pássaros, nos livros e na música, fez um grande discurso desejando felicidade aos jovens príncipes.

Em seguida houve o baile; a música seria a dos sinos de ouro tocada por doze anões vestidos de verde; formaram-se os pares. Quinze de um lado e quinze de outro; dançavam uma espécie de quadrilha, pois não conheciam danças modernas, iam para diante e para trás fazendo grandes reverências uns para os outros.

As crianças, entusiasmadas com o espetáculo, ficaram num canto, olhando. Os príncipes foram os primeiros a sair da fila; ficaram no centro do salão e, quando os sinos começavam a tocar, davam voltas de mãos dadas por todo o salão. Os outros pares iam atrás e, quando se encontravam, inclinavam-se como se estivessem se cumprimentando pela primeira vez.

Oscar e Quico estavam achando muita graça e queriam também entrar na dança, mas as meninas não deixaram; eles iriam atrapalhar, pois eram muito mais altos que os anões.

Quando terminou a dança, todo o mundo bateu palmas. Depois os príncipes sentaram-se em poltronas de ouro colocadas num estrado bem alto e ficaram assistindo às danças dos outros. Os convidados dançaram durante muito tempo, mas sempre a mesma coisa e os sinos só tocavam da mesma maneira: dlin! dlon! dlun!

Oscar e Cecília, Quico e Vera foram dançar também; todos os anões ficaram parados e assistindo. Lúcia pegou Pingo no colo e foi também para o meio do salão. Foi um sucesso, mas não puderam dançar nada moderno porque os sinos repicavam sempre a mesma coisa. Os anões voltaram a saracotear. Então Oscar avisou a meninada:

— É hora! Vamos fugir enquanto eles ficam dançando.

Enquanto os anões formavam pares e círculos, as crianças foram saindo uma a uma e se esgueirando por uma porta lateral que não tinha ninguém perto. Foram dar numa ruazinha deserta atrás do palácio; Oscar, que ia chefiando, disse:

— Venham vindo como se estivéssemos passeando; assim, se encontrarmos alguém, não desconfiará. Trouxeram os cachorros?

— Estão aqui conosco.

— Então vamos.

Viraram ruas, torceram esquinas, subiram, desceram; quando viam algum grupo de anões, cumprimentavam e riam como se estivessem se divertindo. De vez em quando Vera dizia:

— Será que estamos certos?

— Estamos — respondia Oscar. — Temos que subir uma ladeira muito íngreme, depois chegamos àquele corredor escuro que vai dar no alto da montanha.

Cecília começou a rir:

— O que será que Padrinho vai pensar quando nos vir com estas roupas?

— Vai achar muita graça — disse Lúcia.

Depois de terem caminhado um bom tempo, chegaram à entrada de um corredor comprido, onde não havia iluminação alguma. Espiaram e ficaram com um pouco de medo, sem coragem de continuar a fuga. Quico quis mostrar valentia e entrou primeiro, dizendo:

— Vocês vêm ou não vêm?

Lúcia disse:

— Afinal a princesinha Filó foi tão boa para nós e nós vamos embora sem falar nada para ela? Acho que isso é ingratidão.

— Também estou achando — respondeu Cecília.

— Mas o príncipe não quer deixar a gente ir embora — disse Quico. — Então vamos ficar prisioneiros aqui a vida inteira?

— Se a gente pedisse a Filó, quem sabe deixaria a gente ir?

— Vamos experimentar — disse Vera.

Nesse instante ouviram um barulhinho no fim do corredor; abaixaram-se num canto e ficaram quietinhos, sem saber o que fazer. Viram então uma luzinha numa lanterna e depois apareceu Julião, que como sempre estava de sentinela. Quando viu as crianças acocoradas no canto escuro, levantou a lanterna e falou:

— O que estão fazendo aqui? Deixaram o baile?

— Não — respondeu Quico bem depressa. — Saímos para dar uma voltinha e tomar um pouco de ar, lá dentro estava muito quente. Você não foi à festa, Julião?

— Eu assisti ao casamento e voltei ao meu trabalho — respondeu Julião. — Uma bonita festa, não acharam?

— Linda — disse Cecília. — Tão linda que até vamos voltar para lá e continuar a assistir às danças. O que vocês acham?

Todos concordaram e voltaram ao palácio do príncipe, onde a festa estava terminando. Quico suspirou:

— Qual! Não há meio de fugir desta montanha! Estou até desanimado!

— Não desanime — disse Vera. — Vamos sair, sim.

Quando chegaram ao palácio, os convidados estavam se retirando; antes de sair inclinavam-se e agradeciam. Ficaram as aias e o casal de príncipes. Filó chamou as crianças para junto deles e disse:

— Vocês agora vão voltar para seu país, meus filhos. Já conversei com meu marido e ele concordou. Hoje à noite Julião irá levá-los para o alto da montanha. Gostei muito de vocês, mas infelizmente não podem viver aqui. Vocês têm seus pais, suas mães e eles devem estar aflitos sem notícias...

As crianças entreolharam-se e deram suspiros de satisfação; a princesinha era mesmo um amor. O príncipe falou também:

— Gostamos muito de vocês; são crianças bem-educadas e obedientes; não tentaram fugir nenhuma vez, por isso gostei muito. Mas a nossa cidade não serve para vocês viverem.

As crianças ficaram vermelhas quando o príncipe disse que elas não haviam tentado fugir; Oscar mais ainda. Então perguntou para disfarçar:

— Senhor príncipe, será que podemos voltar algum dia para visitá-los? Gostamos tanto da sua cidade...

O príncipe olhou a princesa:

— Filó quer que vocês voltem algum dia para uma visita.

Cecília, que gostava muito de dar presentes, perguntou:

— E os senhores permitem que eu traga uma lembrança lá de fora? Só uma lembrancinha?

Filó riu-se e perguntou:

— O que você quer trazer, Cecília?

A menina disse que queria trazer pássaros para enfeitar a cidade; Vera traria flores para perfumar; Lúcia traria livros para instruir; Oscar traria música para alegrar. Quico lembrou-se do sol, mas como não podia trazê-lo, lembrou-se de repente e disse:

— Eu trago um cavalo!

Todos riram. Depois disseram que nada poderiam fazer com um cavalo; então Quico prometeu levar café, pois a princesa tinha ouvido falar em café e tinha muita vontade de provar uma xícara dessa bebida tão gostosa.

13

ONDE ESTÁ PINGO?

A princesa Filó chamou a aia e mandou levar as crianças para casa; mas pediu que cada um deixasse os trajes com que haviam assistido à tão linda festa. Um pouco tristes, acompanharam a aia até a casa de Filó; Vera foi a primeira a desembaraçar-se das roupas; tirou o vestido cor de sonho, dizendo:

— Adeus, meu vestido tão bonito!

Cecília e Lúcia também tiraram os vestidos e os sapatos; em seguida Lúcia pediu à aia:

— Faça o favor de guardar meu vestido cor do céu para quando eu voltar aqui; quero vesti-lo outra vez.

A aia prometeu. Cecília também pediu que guardasse num baú de ouro seu vestido de arco-íris. Os dois meninos tiraram as longas meias, as calças curtas e as jaquetas; cada um deles vestiu a roupa que trazia antes. Tiraram as penas de galo da cabeça; nesse instante, Cecília perguntou:

— Onde está Pingo?

Apenas Pipoca estava com eles; cansado de tanta brincadeira, deitou-se num canto do quarto esperando pelas crianças; a jaqueta foi parar na barriga e a pena já havia desaparecido da cabeça. Procuraram Pingo; assobiaram, chamaram:

— Pingo! Pinguinho!

Viram com assombro que Pingo havia desaparecido; algum anão escondeu o cachorro para ficar com ele. Onde estaria? Lúcia bateu o pé, desesperada:

— Sem meu cachorrinho não vou embora daqui!

— Vamos procurar — propôs Quico.

A aia veio avisar com um ar meio desconfiado:

— Os príncipes estão no palácio esperando para as despedidas...

As crianças nem ouviram; saíram correndo pelas ruas da cidade, mas em vez de irem ao palácio, chamavam o cachorro. A aia gritou de longe:

— Os príncipes estão esperando!

— Só iremos depois de encontrarmos o cachorro — respondeu Oscar.

E toca a procurar. “Pingo! Pingo!” Como já estavam com os sapatos de couro, escorregavam nas lajes de ouro.

Cecília foi a primeira: bumba! Vera também caiu ao virar uma esquina: bumba!

Quico gritou:

— Andem com cuidado, como eu ando...

Mal acabou de falar, esparramou-se no chão; Oscar deu uma cabeçada numa porta que estava aberta. Foi espiar para dentro para ver se Pingo estava lá, pan!, bateu com a testa no batente.

A família dessa casa estava jantando à volta da mesa; todos se levantaram e saíram gritando atrás das crianças:

— Eles entraram em nossa casa sem licença! Pega!

Começou a correria. Outros anões saíram das casas e, vendo as crianças correrem daquele jeito, corriam atrás. Foi ajuntando gente. Assobiavam chamando pelo cachorrinho e nada de Pingo aparecer.

Os meninos enfiavam as cabeças em todas as janelas por onde passavam; levaram mais tombos e cabeçadas. Cecília pediu:

— Vamos ao palácio do rei! Vamos contar ao rei!

Os outros responderam:

— Aqui não existe rei, é príncipe!

Lúcia começou a choramingar:

— Quero meu cachorrinho! Quero meu cachorrinho!

A cidade toda ficou alvoroçada; alguns anões queriam segurar as crianças e levá-las para a prisão; outros protestavam dizendo que deviam levar ao conhecimento do príncipe o que estava se passando. Os príncipes haviam tratado tão bem aquelas crianças estrangeiras, agora elas estavam fazendo estripulias na cidade.

Assim, com essa gritaria, chegaram até o palácio. O príncipe e a princesa puseram as cabeças nas janelas para ver o que estava acontecendo nas ruas; já haviam ouvido o barulho; estavam sem as coroas nas cabeças. Quando viram as crianças correrem daquele jeito, ficaram alarmados; um sino começou a tocar anunciando que algum fato esquisito estava acontecendo. Filó perguntou:

— O que foi que aconteceu?

Nesse instante Vera, que ia na frente, tropeçou e caiu, quase esborrachou o nariz. Nem pôde falar; Quico explicou:

— Pingo sumiu. Não podemos ir embora sem nosso cachorrinho.

Vera levantou-se esfregando o nariz; Lúcia começou a chorar. Os anões todos rodearam as crianças dizendo que elas estavam perturbando o sossego daquela cidade; viviam muito bem antes da chegada deles, agora era aquele alvoroço por causa de um animalzinho. Oscar explicou bem alto:

— Mas ele foi roubado; não podemos deixar nosso cachorro, ele é nosso companheiro...

Alguns levantaram os braços protestando:

— Ele está nos chamando de ladrões; aqui ninguém precisa roubar nada, o cachorro não foi roubado; que desaforo desse menino falar que somos ladrões.

Oscar procurou desculpar-se:

— Eu não disse que são ladrões, mas queremos o cachorrinho...

O anão estava zangado:

— Você disse que roubamos; chamou-nos de ladrões...

— Disse! Disse! Disse!

Todos os anões começaram a dizer "disse! disse!" e cada vez o povo ia ficando mais zangado; nisso a caixinha de pulgas que estava nas mãos da princesa (ela estava brincando com as pulgas) caiu da janela e abriu-se no chão. Ela gritou, choramingando:

— Minhas pulgas! Minhas lindas pulgas!

O príncipe deu ordem para que as pulgas fossem procuradas no mesmo instante; quase todos os anões caíram de quatro no chão e começou a caçada. No meio dessa algazarra, Pipoca, que estava entre as crianças, levantou as orelhas para cima e ficou muito atento. Os meninos perguntaram:

— Pipoca! O que é, Pipoca? Procura, Pipoca!

O cachorro parece que entendeu; esgueirou-se por entre as pernas das crianças, pulou por cima de uma porção de anões e dirigiu-se correndo para a casa da princesa...

Os meninos correram atrás dele; parece que tinham ouvido os latidos do Pingo. Pingo estava chamando. Os sinos tocavam sem parar, enquanto em frente ao palácio do príncipe os anõezinhos procuravam as pulgas por todos os recantos. Os meninos empurraram a porta da casa da princesa e entraram; procuraram Pingo em todos os quartos.

A aia, que era tão risonha, apareceu com cara de zanga, toda furiosa; disse que ia contar a Filó e todos iriam parar na prisão. Oscar perguntou:

— Nesta cidade tão bonita também há prisão?

Ela respondeu:

— Não há, mas mandaremos fazer uma para vocês.

— É? — perguntou Cecília. — Que engraçado!

Ih! Ela ficou mais furiosa; andava de um lado para outro arrastando a saia de seda... Pipoca fungava e procurava; afinal chegou em frente a uma porta fechada e latiu como quem diz: aqui! aqui!

Era o quarto da aia. Oscar pediu-lhe que abrisse a porta; ouviram Pingo latindo desesperadamente lá dentro. Ela fez uma cara muito feia, mas afinal abriu a porta dizendo que não sabia como o cachorrinho tinha ido parar lá; decerto porque ele era muito xereta; com todo xereta acontecia o mesmo. Mas ela não sabia de nada.

Lúcia abraçou o cachorrinho; todos festejaram Pingo, que de tão contente lambeu as mãos das crianças e o focinho de Pipoca. Nem agradeceram à aia e foram embora levando os cachorros nos braços; assim voltaram ao palácio, onde continuava a procura das pulgas.

14

AS DESPEDIDAS

Os meninos ajudaram a procurar; espiavam embaixo dos tapetes, atrás das almofadas, nas paredes. Nada. Oscar disse:

— O mais fácil é tirar outras pulgas de Pingo e Pipoca; eles devem ter mais.

— Não — disse Filó. — Quero aquelas mesmas, já estava acostumada com elas, até já me conheciam...

E passando a mão pelo braço esquerdo, começou a se coçar. Quico falou:

— A senhora dá licença, princesa? Creio que uma delas está no seu bracinho.

Levantou a manga do vestido dela; lá estava uma das pulgas passeando pelo braço muito branco de Filó. Quando Quico foi prendê-la, a pulga saltou para o pescoço da princesinha. Vera ofereceu-se para auxiliar; umedeceu as pontas dos dedos e tentou pegá-la com cuidado, mas a pulga saltou para a roupa do príncipe. Oscar ofereceu-se:

— Deixem que eu pego; eu sei pegar esses bichinhos...

Umedeceu também os dedos e, "nhoc"!, a pulga foi para o chão. Gritaram: pega! Os cachorros pensaram que era para pegar alguma pessoa e começaram a rosnar, olhando à volta, muito zangados. A pulga voltou para o vestido de Filó e escondeu-se numa das pregas.

Cecília e Lúcia tentaram segurá-la; os anões ficaram com medo dos cachorros e começaram a ameaçá-los com pontapés; foi então que os cachorrinhos zangaram-se de verdade e quiseram morder alguns anões. O barulho estava se formando outra vez, e agora ainda pior.

Nesse momento Cecília disse que tinha visto a pulga numa das pernas da princesa; a criançada avançou para Filó, os cachorros latiram e pensaram que era para pegar a princesinha, que gritava sem parar. Reviraram a princesa de todos os lados e afinal Quico conseguiu pegar a pulga e colocá-la de novo na caixinha de ouro.

Desistiram de procurar as outras duas porque estava muito difícil, mas como Filó queria mais pulgas, as crianças procuraram em Pingo e Pipoca. Caçaram mais duas e deram para a princesa, que agradeceu muito e disse que ia guardá-las como lembrança.

Em seguida tudo se acalmou; os anões foram para suas casas, alguns ainda resmungando e dizendo que, se fossem os príncipes, dariam uma boa lição naqueles meninos levados da breca. Os sinos pararam de tocar e os cachorros, de latir.

Começaram então as despedidas. Cecília perguntou quando poderiam voltar para uma segunda visita; o príncipe coçou a testa e respondeu que, no ano seguinte, os esperaria de novo.

Quico e Oscar foram muito amáveis e ofereceram a fazenda para os príncipes passarem uma temporada; não era muito longe da montanha e eles haviam de gostar. Havia tanta coisa que eles não conheciam, como, por exemplo: automóvel, carroça, bois, gansos...

Lúcia acrescentou:

— E coisas de comer, então? Leite, carne assada, salada de alface...

Cecília lembrou-se:

— Chocolate, café, leitão assado...

Vera disse, com olhos arregalados:

— E sorvete, então? Sorvete de creme, de abacaxi... de coco...

Todos ficaram com água na boca de vontade de tomar sorvete, mas o príncipe e a princesa sacudiram a cabeça, agradecendo muito. Não poderiam jamais deixar aquela cidade; era a cidade deles, a cidade encantada, a cidade dos anões. Haviam jurado aos seus antepassados nunca deixarem a cidade, pois o mundo lá fora era enganador e perigoso; havia perigos em toda parte, enquanto ali a paz era eterna.

No mundo havia ódio, perigos, guerras horríveis; ali estavam a salvo de todo o mal, eram mais felizes dentro da montanha do que fora dela. Não conheciam muitas coisas lindas que havia no mundo, não comiam mais nada além da carne de garnisé e ovos de garnisé com erva da montanha, mas viviam felizes e isso era o principal. O resto não importava.

O príncipe deu ordem para a partida; Julião apareceu para acompanhá-los até fora da cidade; já estava pronto com uma tocha nas mãos. Oscar e Quico despediram-se em primeiro lugar; agradeceram o tratamento que haviam tido por parte dos anões e ofereceram a casa da fazenda, pois algum dia os príncipes podiam mudar de ideia.

Depois as meninas inclinaram-se para abraçar Filó e agradeceram também; Filó estava comovida, pois tinha gostado muito das crianças. Ela inclinou-se e despediu-se dos cachorrinhos, dando um beijo no focinho de cada um.

Fora do palácio havia um pequeno número de anões que queria despedir-se também; as crianças apertaram as mãos de um por um, agradeceram e partiram acompanhando Julião. Quando estavam quase na esquina, ouviram os gritinhos da princesa chamando-os. Voltaram; ela deu a cada um deles uma pedra preciosa como lembrança da cidade dos anões.

Agradeceram mais uma vez e partiram de novo; foram andando atrás de Julião, viraram uma esquina, depois outra. Os sinos começaram a tocar outra vez anunciando a partida dos estrangeiros; muitas crianças anãs apareceram para assistir.

A meninada foi andando, andando. Deixaram as ruas calçadas de ouro e caminharam sobre pedras. Não havia mais luz, apenas a tocha que Julião levava diante deles. Oscar cochichou:

— Vamos prestar bem atenção no caminho; quem sabe a gente pode voltar sozinho um dia...

— Voltar, hein? Duvido muito — respondeu Vera.

Depois de meia hora de marcha, chegaram a um lugar completamente escuro; Julião apagou a tocha de propósito, resmungou qualquer coisa e parece que apertou uma mola. Ouviram o barulho de uma serra serrando, depois um ronco, depois viram um clarão que não sabiam o que era, mas logo reconheceram o sol.

Ficaram tão atarantados que se esqueceram de se despedir de Julião e agradecer; viram-se deitados numa moita ao lado de grandes pedras; não pareciam as mesmas pedras por onde haviam entrado. Os cachorros latiram, um pouco assustados. Oscar foi o primeiro a se levantar, esfregando as pernas.

— Fomos atirados para fora da cidade, essa é a verdade... Ao menos Julião podia despedir-se da gente...

— Mas não foi por aqui que entramos — observou Cecília. — Foi por outro lugar onde havia árvores mais altas. Onde estaremos?

— No alto da montanha — disse Quico. — Vamos ver se reconhecemos o lugar.

Olharam à volta; estavam num lugar desconhecido e o sol já ia sumindo no horizonte. Vera lembrou:

— Nosso primeiro dever é procurar Padrinho. Onde estará ele?

— Vamos gritar — disse Lúcia.

Todos gritaram ao mesmo tempo: "Padrinho! Padrinho!".

15

A TEMPESTADE

Padrinho não estava por ali. Onde estaria? Nesse instante um trovão reboou longe; estava ameaçando chuva. Em pouco tempo o sol desapareceu por completo e nuvens escuras surgiram no céu; os dois meninos ficaram um pouco assustados. O que haviam de fazer? Onde se esconder da chuva?

Vera propôs:

— E se a gente procurasse uma pedra para se esconder debaixo dela? Não lembra que Eduardo disse que na Ilha Perdida encontrou uma pedra que servia de abrigo?

O vento passava assobiando e torcendo os galhos das árvores; em poucos instantes tudo se transformou. Os trovões se sucediam, cada um mais forte que o outro. Vera foi ficando nervosa:

— Não podemos ficar assim parados; vamos procurar Padrinho.

— Mas procurar onde? — perguntou Cecília.

Gritaram outra vez: "Padrinho! Padrinho!".

Mas o barulho que o vento fazia entre as árvores da mata era mais forte que as vozes deles. Quico propôs:

— O melhor é procurar um lugar para nos abrigarmos. Vamos tratar disso.

— Vamos — disse Oscar. — Antes tivéssemos ficado na cidade dos anões, ao menos lá não chovia...

— Mas eles não nos queriam mais lá — respondeu Lúcia. — Mandaram Julião nos botar para fora. E quem ia adivinhar que aqui fora ia chover?

Vera tapou os olhos:

— Ih! Que relâmpago forte! Vamos nos esconder de qualquer jeito.

As cinco crianças acompanhadas pelos dois cachorrinhos correram para a entrada da mata, mas lá não havia abrigo onde se esconder; o vento parecia querer quebrar as árvores de tanto que as torcia. Cecília queixava-se:

— Não enxergo nada por causa do vento; nunca vi uma ventania assim!

— Aqui não podemos ficar — disse Quico. — Vamos ficar perto das pedras.

Correram para o outro lado, onde havia pedras enormes; encostaram-se a elas, mas não havia abrigo de espécie alguma. Oscar, que havia dado a volta por trás das pedras, chamou-os:

— Venham aqui que é melhor. Depressa que a chuva já está começando!

Havia um pequeno lugar onde a pedra maior fazia uma saliência; abaixaram-se todos e procuraram esconder-se o melhor possível. Outro relâmpago e outro trovão; parecia que a montanha ia partir-se em dois pedaços. Lúcia e Cecília fecharam os olhos; os cachorros estavam encolhidos perto delas, nem se mexiam.

Começou a cair uma grande chuva; era tão forte que logo a água, que despencava por cima das pedras, formou uma lagoa ali perto. Eles se encolheram mais, com medo de que a água os alcançasse. O vento zunia passando entre as árvores e as pedras; os trovões continuavam.

Os cinco ficaram quietos, sem falar e sem se mexer; a chuva caía no chão e salpicava as crianças; a lagoa ia aumentando perto delas. Cecília perguntou:

— E se a água vier até aqui?

— Não há remédio senão ficarmos molhados até os ossos — respondeu Quico.

Ali ficaram mais de uma hora; Vera e Cecília começaram a espirrar; a água que crescia cada vez mais já molhava os pés das cinco crianças.

Caiu a noite, uma noite horrorosa de chuva, vento e trovões. A escuridão era fortíssima; não enxergavam mais nada. A água já havia alcançado os calcanhares de todos; Pingo e Pipoca tremiam de frio, molhadíssimos.

Não tinham outra coisa a fazer senão passar a noite toda ali, sob as pedras. Numa noite como aquela, mesmo que Padrinho e os outros estivessem por perto, não iriam procurá-los.

Duas horas depois a chuva diminuiu; mas a lagoa havia crescido e as crianças estavam dentro d'água até o meio das pernas. O vento foi também diminuindo de intensidade. Começaram a sentir frio e fome; encolheram-se mais uns contra os outros, mas estavam molhados e com frio. Lúcia choramingou:

— Será que vamos passar a noite inteira aqui? Que coisa horrível!

Oscar perguntou:

— O que você quer que a gente faça? Para onde havemos de ir? Não conhecemos a mata e não sabemos o caminho da fazenda...

— Ai, meu Deus! — suspirou Vera. — Nunca pensei que fôssemos sofrer tanto depois de deixar a cidade dos anões... E também estou com fome.

— Nós todos estamos — disse Quico. — Aquela comida não matava a fome da gente e o banquete de hoje ainda me deu mais fome.

Ficaram ainda uma hora sem falar e sem coragem de sair dali porque a chuva continuava a cair; um não dizia nada ao outro, mas todos rezavam e pediam a Deus que os tirasse daquela situação o mais depressa possível. De repente, Cecília disse com voz trêmula:

— Vi uma luz lá embaixo entre as árvores...

E pegou o braço de Vera; todos olharam para o mesmo ponto e não viram nada. Vera disse:

— Você vive vendo coisas...

Pingo rosnou e Pipoca fez um movimento como se quisesse ir ver o que era aquilo. Quico disse:

— E se mandássemos os cachorros?

— Nada disso — disse Vera. — A gente não sabe o que é; o melhor é ficarem aqui.

E segurou Pipoca nos braços; Lúcia segurou Pingo.

Oscar perguntou:

— Não será Julião que anda à nossa procura?

Ficaram quietos uma meia hora; os cachorros estavam agitados. De repente Quico disse:

— Eu vi! Eu também vi uma luz naquela direção. É alguém que está nos procurando. Será o Padrinho?

Um deles perguntou:

— Vamos gritar?

— Não. Vamos esperar, a gente ainda não sabe o que é essa luz.

Esperaram mais algum tempo. Pingo e Pipoca começaram a ficar cada vez mais inquietos; pareciam ansiosos por correr em direção à luz que haviam visto passar. A chuva caía miudinha e o vento era frio; todos estavam tremendo e completamente molhados. Na escuridão, continuavam a fixar o ponto onde haviam visto a luz, lá embaixo, entre as árvores.

— É Julião com o archote — disse Vera. — Deve ser Julião.

Oscar perguntou:

— Mas o que andará ele fazendo aqui com esta chuva?

— Quem sabe está nos procurando por ordem da princesa Filó... E se for ele e quiser nos levar de volta para a montanha? — perguntou Vera.

— Não podemos voltar de jeito nenhum — disse Oscar. — Temos que voltar para a fazenda.

Nesse instante Pingo escapou dos braços de Lúcia e saiu correndo. Lúcia saiu correndo atrás dele e gritando:

— Pingo! Volte já!

Mas o cachorro não voltou; Pipoca esforçava-se por escapar dos braços de Vera. Cecília disse:

— O que será? Ele viu alguma coisa; ele não sai correndo assim à toa.

No mesmo momento, ouviram Pingo dar latidos de alegria e a voz de Henrique chamando:

— Oscar! Quico! Cecília! Vera! Lúcia! Onde vocês estão?

— É Henrique! É Henrique!

Saíram doidos de alegria; Vera foi a primeira a gritar:

— Aqui! Estamos aqui!

Lúcia, que havia saído correndo atrás de Pingo, levou um tombo e estava se esforçando por se levantar, mas a escuridão era completa e ninguém enxergava onde pisava, nem para que lado ir. Lúcia começou a gemer:

— Ai! Ai! Caí por causa daquele Pingo!

Começaram a procurar Lúcia e Henrique ao mesmo tempo. Vera perguntou:

— Você se machucou?

— Não sei ainda — disse Lúcia. — Acho que destronquei um pé.

— Não diga! Será possível? Onde você está?

— Aqui. Não enxergo nada.

Ouviram outra vez a voz de Henrique:

— Onde vocês estão? De que lado?

Oscar respondeu:

— Estamos procurando salvar Lúcia, que caiu num buraco...

— Esperem aí — disse Henrique. — Vou levar a lanterna para ajudar vocês.

Tropeçando nas moitas, esbarrando nos troncos das árvores, escorregando na terra molhada, Henrique foi ao encontro dos cinco. Eduardo vinha atrás de Henrique, tropeçando também nos galhos caídos. Quando Henrique iluminou com a lanterna, viu Lúcia dentro de um buraco e ao lado do buraco os outros quatro procurando tirá-la lá de dentro.

Henrique deu a lanterna a Quico, debruçou-se e deu a mão a Lúcia, dizendo:

— Segure com força na minha mão, Lúcia...

Ela segurou a mão de Henrique com tanta força que ele quase também foi parar dentro do buraco; foi necessário Eduardo auxiliar e Oscar também. Afinal tiraram Lúcia toda suja de barro, com o rosto coberto de lama; todos os outros tinham barro até a cabeça por causa dos tombos que haviam levado.

Enquanto perguntavam se Lúcia estava machucada, Eduardo contou que Padrinho estava na barraca, juntamente com Bento e Jeromão. Haviam procurado as crianças durante dois dias e uma noite sem parar, numa aflição danada; depois daquela chuva tão forte, Henrique propôs sair outra vez à procura deles. Jeromão tinha dito: "Se nem com sol a gente achou, agora com chuva e à noite é que eles vão aparecer?".

Mas Henrique estava com palpite de que eles andavam por ali; colocou uma capa sobre os ombros e saiu; estava quase certo de encontrá-los.

Quando viram que Lúcia estava bem e não tinha destroncado nada, foram caminhando em direção à barraca. Eduardo queria saber onde eles haviam estado durante esses dois dias e onde haviam passado a noite. Lúcia foi a primeira a falar:

— Estivemos na cidade dos anões...

— O quê? Onde? — Eduardo e Henrique perguntaram ao mesmo tempo. — Na cidade do quê?

Eduardo disse:

— Eu acho que o tombo deu para Lúcia ficar variada...

Mas foi Quico quem respondeu:

— É verdade o que Lúcia disse; estivemos na cidade dos anões; dentro da montanha. Vamos contar tudo bem direitinho depois que chegarmos à barraca. Esta montanha é encantada.

Viram Padrinho, que vinha ao encontro deles com outra lanterna; Pingo já havia corrido até a barraca e anunciado... Jeromão, Bento e Tomásio também vinham vindo, espantados por vê-los aparecer assim de repente, no meio daquela tempestade horrível e ainda mais à noite. Haviam dado buscas incessantes durante dois dias sem encontrar nem rastro dos meninos. Onde haviam estado?

As crianças abraçaram Padrinho, apertaram as mãos dos empregados e dirigiram-se às barracas; as roupas molhadas haviam grudado no corpo e estavam sentindo frio. Bento foi na frente a fim de esquentar café com leite para as crianças tomarem; deviam estar com fome, pareciam magras e abatidas.

Dentro da barraca, sentiram-se melhor; Padrinho ordenou que todos trocassem de roupa, depois mandou que tomassem café com leite bem quente e bolachas. Comeram tudo. Quando Padrinho soube do tombo de Lúcia no buraco, examinou o pé para ver se havia destroncado; estava bom. Depois de limpos, alimentados e com as roupas secas, ficaram com outro aspecto. Então Padrinho olhou um por um à luz da lanterna e disse:

— Bem. Agora vamos conversar. Oscar, que é o mais velho, vai contar onde estiveram desde ontem de manhã...

16

PADRINHO QUASE NÃO ACREDITA

Oscar começou a contar, muito excitado. Falou de que modo haviam ido parar naquela cidade esquisita e única no mundo. Falou da pedra que girou, do anão que os guiou pelos labirintos da montanha, depois sobre a cidade cujo calçamento era feito com ouro puro. Jeromão arregalou os olhos de espanto:

— Ouro? Então há ouro nesta montanha? Vocês não estão enganados, meninos?

Cecília e Quico confirmaram. Vera e Lúcia falaram sobre a princesa Filó e o príncipe. Vera mostrou a cintura:

— Eles são desta alturinha, Padrinho. Nós éramos quase gigantes perto deles.

Bento, que nunca tinha visto anões, queria que explicassem melhor. Por que eram pequeninos assim? Mas eram gente mesmo? Não eram bichos? Falavam como gente? E por que viviam no fundo da terra?

As crianças contaram tudo o que haviam visto; falaram sobre a festa do casamento, o toque dos sinos, o que haviam comido. Jeromão tornou a arregalar os olhos:

— Sinos? Isso eu ouvi. Ouvi naquela primeira noite que dormimos na montanha!

Continuaram a contar; cada um contava uma parte. Padrinho sacudia a cabeça com ar de quem não estava acreditando muito. Vera percebeu e perguntou:

— Padrinho, não acredita no que estamos contando?

— Acredito — disse Padrinho. — Mas estou achando tudo tão estranho... Para mim, vocês estiveram perdidos na montanha e agora vêm contando esse lero-lero... Vai ver que sonharam tudo isso. Estão magros, sujos, famintos... E dizem que lá havia de tudo e que foram tão bem tratados; não deviam estar magros assim.

Cecília protestou logo:

— Estamos magros porque não gostamos da comida dos anões, Padrinho. E estamos sujos por causa da chuva que tomamos hoje; mas na cidade dos anões havia banheiros do tamanho de piscinas e tomamos banho duas vezes na piscina da princesa. Foi a lama de hoje que nos deixou sujos...

Vera continuou:

— Viemos com fome porque não jantamos. Sabe o que comíamos lá, Padrinho? Crista de galo garnisé e pão de mel...

— O quê? — gritou Bento. — Crista de garnisé? Cruz-credo! Nunca vi alguém comer crista de galo.

As crianças tornaram a explicar o que haviam visto e comido; de repente Lúcia lembrou-se:

— Ah! Esperem aí, temos umas pedras preciosas que a princesa Filó nos deu. Quico e Oscar guardaram no bolso; mostrem as pedras para Padrinho.

Os dois meninos tiraram as pedras e puseram nas mãos de Padrinho; ele as examinou e revirou entre as mãos. Perguntou:

— Quem disse que são pedras preciosas? São pedras comuns, a montanha está cheia disto...

— Não é possível — falou Lúcia. — São safiras e rubis, Padrinho, veja bem.

Qual! Padrinho examinou e tornou a examinar, eram pedras comuns, um pouco brilhantes. Bento disse que era só procurar um pouco à volta das barracas e logo se encontrava uma porção delas. As crianças ficaram desapontadas; de fato, as pedras não tinham o mesmo brilho, nem pareciam as mesmas que eles haviam visto dentro da montanha; pareciam à toa.

— Quer ver que eles trocaram? — disse Oscar. — Na hora em que a pedra grande girou para sairmos fora da cidade, senti alguém passar a mão no meu bolso. Pensei que fosse Quico...

— Qual o quê! — protestou Quico. — Eu também senti alguém mexendo nos meus bolsos; vai ver que Julião trocou as pedras, sou capaz de jurar.

— Quem sabe foi ordem de Filó — disse Vera. — Ela deu os presentes, mas se arrependeu e mandou Julião trocá-los.

Depois de conversar mais umas duas horas, Padrinho disse que passava de meia-noite e todos precisavam dormir. Apagaram a lanterna e deitaram-se, mas nenhum deles dormiu bem; Vera chegou a se levantar e espiar para fora da barraca para ver se Julião andava rondando por ali. Lúcia e Cecília ouviram sinos tocar, pedras ranger, mas acharam que era tudo imaginação.

O dia seguinte estava lindo. Quando se levantaram, viram que Bento não se achava na barraca e Jeromão estava juntando lenha para fazer fogo. Foram procurar Bento. Gritaram:

— Bento! Onde você está?

Uma das crianças disse:

— Será que Bento desapareceu?

Oscar lembrou:

— Quem sabe se Julião levou Bento para dentro da montanha?

Vera disse:

— Se ele foi para lá, os anões são capazes de não o deixarem sair mais.

Um pouco assustados, foram procurar Bento pelos arredores; não estava. Subiram até o alto da montanha e chamaram os cachorros para procurar:

— Procura, Pingo! Procura, Pipoca!

Os dois cachorrinhos cheiraram as árvores, as pedras, à procura de Bento; não estava em lugar algum. Os meninos examinaram os rochedos para ver qual deles servia de porta à cidade dos anões, mas por mais que procurassem, não descobriram; todos pareciam iguais.

Ouviram Padrinho chamando para o café; voltaram à barraca e contaram que Bento havia desaparecido. Padrinho também ficou preocupado; depois de tomarem café com leite e bolachas, saíram todos à procura de Bento. Passaram a manhã andando pelos arredores e procurando Bento; Padrinho queria saber qual o rochedo que girava e levava à cidade dos anões; nenhum deles soube indicar a pedra.

Bem mais tarde, viram Bento aparecer por trás de uma grande pedra; contou que não pôde dormir pensando nos anões, então saiu de madrugada e foi procurar o caminho da cidade encantada. Como ouviu contar que os meninos haviam desaparecido atrás de uma pedra, ficou atrás de uma grande rocha, esperando a pedra girar. Chegou a ver um vultinho com umas roupas de cor pulando de um lado para outro; as crianças exclamaram:

— Era Julião! Era Julião! Por que você não chamou, Bento?

— Chamei — disse Bento. — Chamei baixinho: "Julião! É você?", mas ele não deu confiança, sumiu como se fosse engolido pela terra e não voltou mais por estes lados.

Padrinho perguntou:

— E você não ouviu quando chamamos? Não ouviu as crianças chamarem?

— Não ouvi nada — disse Bento. — Nem pensei que fosse tão tarde.

Jeromão falou:

— É melhor a gente ir embora daqui; este lugar é encantado como nunca vi; as pessoas até ficam surdas de uma hora pra outra...

As crianças ainda ficaram por ali procurando algum indício; disfarçadamente cada uma delas procurava a pedra mágica, mas não viram nem sinal, por mais que procurassem. Padrinho tornou a dizer que com certeza eles haviam se perdido, depois um deles sonhou durante a noite com anões e todos haviam ficado impressionados. Devia ter sido isso. As crianças protestaram; depois tornaram a tirar as pedras dos bolsos e a examiná-las; eram pedrinhas à toa, quase sem brilho. Isso elas não podiam compreender.

Quem menos acreditava era Henrique; achava impossível existir dentro da montanha uma cidade como aquela e ninguém saber do fato em toda aquela redondeza. Perguntava uma porção de coisas sobre a cidade, sempre duvidando; Vera disse:

— E você não andou tanto tempo perdido na Ilha? E Simão não estava lá com os bichos? E nós acreditamos em tudo o que você contou...

— Isso é diferente — respondeu Henrique. — Simão está na Ilha com todos os seus companheiros, macacos, veados, papagaios, jaguatirica... Mas existir uma cidade cheia de anões vivendo dentro de uma montanha? E depois essa história de pedras preciosas, cristas de galo, vestidos de veludo... Aranhas que tecem... Ah! Não posso acreditar...

As crianças ficaram um pouco zangadas com Henrique; mais tarde Eduardo teve uma ideia:

— Olhe, Padrinho, a gente pode trazer umas bombas e dinamitar as pedras. Aí quero ver se existe ou não a tal cidade...

Lúcia deu um grito:

— Matar os anõezinhos? Ah! Não. Isso nunca.

— Ninguém vai matar anõezinhos — disse Eduardo. — Eu disse apenas para abrirmos o caminho da cidade dinamitando a pedra.

— Não — disse Padrinho. — Nunca permitirei que façam semelhante coisa. E vamos nos aprontar para voltar hoje à fazenda...

Ficaram tristes, mas obedeceram. Almoçaram ligeiramente e, logo depois do almoço, levantaram acampamento; prepararam tudo para descer a serra.

A descida foi mais fácil; os cavalos iam satisfeitos, pareciam conhecer o caminho da fazenda; os cachorros iam saltando e latindo alegremente.

Andaram até as seis horas da tarde; então resolveram parar e armar as barracas; estava ameaçando tempestade outra vez. Depois de tudo pronto, jantaram dentro das barracas, pois a chuva começou a cair fortemente. Choveu durante toda a noite; os cachorros estavam inquietos, latiram muitas vezes. Tomásio e Bento levantaram diversas vezes para ver o que havia; não viram nada. Só a chuva caindo com força e a enxurrada que rolava serra abaixo.

No dia seguinte, depois do café, tornaram a preparar tudo para a descida; mas o chão estava tão molhado por causa da chuva que os cavalos escorregavam a todo momento. Precisaram ir muito devagar e com cuidado; o caminho estava perigoso; choveu também durante o dia e, apesar das capas de borracha, todos ficaram molhados. Pararam para almoçar; Bento e Jeromão levaram uma hora para acender o fogo, pois tudo estava úmido e a lenha não acendia. Quando conseguiram fazer um pequeno braseiro, Bento fritou as últimas linguiças que haviam levado e comeram-nas com bolachas e queijo; depois tomaram café com leite. Felizmente haviam sobrado latas de leite condensado e isso valeu muito; já não havia quase nada para comer.

No momento em que estavam descansando um pouco depois do almoço, e todos ficaram em silêncio por uns instantes, ouviram o som de sinos tocando muito longe, muito longe...

Padrinho foi o primeiro a ouvir; ficou de pé escutando, depois olhou as crianças como quem diz: "Vocês têm razão".

Eduardo e Henrique levaram um susto e ficaram com os olhos muito abertos olhando Padrinho. Bento, Jeromão e Tomásio ouviram também; Tomásio ia levando o cigarro à boca, parou e ficou com a mão no ar, assim como quem está escutando uma coisa muito interessante.

Vera, Lúcia e Cecília levantaram as cabeças e olharam umas para as outras pensando nos habitantes da montanha que estavam tocando sinos; eram sons leves e finos, outros mais pesados e graves; vários sinos tocavam ao mesmo tempo, parecia uma música. Pingo e Pipoca estavam de pé perto do Padrinho; torceram a cabeça para um lado, como os cachorros fazem quando querem ouvir melhor; Pingo estava comendo um pedaço de linguiça; largou a comida e escutou levantando uma orelha e descendo a outra.

Depois de uns instantes em que ninguém falou, os sinos pararam de tocar; tudo ficou silencioso; ouviram somente o barulhinho da água da chuva caindo das folhas e mais nada; a mata estava silenciosa. Padrinho foi o primeiro a falar:

— Desta vez eu ouvi, meus filhos. Ouvi sinos tocando muito longe e não eram sinos da fazenda; eram sinos que eu nunca ouvi.

As crianças ficaram entusiasmadas; Quico e Oscar começaram a andar de um lado para outro, queriam falar mas não sabiam o que dizer; pareciam haver perdido a fala. Afinal Vera perguntou:

— Não foi o que dissemos, Padrinho? Uma porção de sinos tocando ao mesmo tempo?

— Foi — respondeu Padrinho. — Vocês têm razão; ouvi sinos tocando dentro da montanha. Quer dizer que os anões decerto estão tocando a nossa retirada; falta pouco para deixarmos a montanha...

Bento estava estonteado; coçava a cabeça, a testa, sem saber o que dizer. Lúcia perguntou a Henrique:

— Está acreditando agora, Henrique?

— Pode ser que sejam sinos de outra fazenda — respondeu Henrique.

— Ora — disse Eduardo. — Nunca se ouviram sons assim em fazenda alguma. Por que duvidar?

Henrique nada respondeu. Padrinho deu ordem para partir novamente; seguindo o curso d'água, foram parar nas terras da fazenda; caminhavam devagar porque o chão estava muito molhado e os cavalos escorregavam a todo momento. Atravessaram o riozinho e, às dez horas da noite, a caravana chegou à fazenda, onde Madrinha já os esperava, pois de longe havia pressentido a volta dos viajantes.

Depois dos primeiros abraços, sentaram-se todos à volta da mesa para comer alguma coisa antes de dormir. Madrinha perguntou:

— Então? Descobriram a luz da montanha?

17

ELES QUEREM VOLTAR ALGUM DIA

Quico foi o primeiro a falar:

— Mamãe, descobrimos uma cidade maravilhosa, a cidade mais rica do mundo...

— O quê? — Madrinha perguntou, admirada. — Onde fica essa cidade?

— Dentro da montanha encantada...

Cecília disse:

— Madrinha, aquela montanha é mesmo encantada. Lá vivem anões desde o tempo de Mem de Sá.

— Anões portugueses — confirmou Oscar. — Vieram para dançar no Rio de Janeiro e nunca mais voltaram para Portugal.

Eduardo e Henrique ouviam da ponta da mesa, um pouco tristonhos, pois não haviam conhecido a cidade extraordinária. Eufrosina veio da cozinha e ficou na porta da sala escutando. Bento já tinha contado alguma coisa e ela estava curiosa por saber o resto. Perguntou com a mão na cintura:

— Será verdade o que o Bento me contou? Os meninos estiveram mesmo lá?

Lúcia levantou-se para falar melhor:

— É tudo verdade, Eufrosina. As ruas são calçadas de ouro. Ouro puro.

— Lajes de ouro — confirmou Quico.

Eufrosina benzeu-se:

— Cruz-credo! Que riqueza!

Cecília falou:

— É a cidade mais rica do mundo! As casas têm janelas emolduradas de safiras!

Outro disse:

— E portas cravejadas de esmeraldas!

Oscar continuou:

— A coroa do príncipe é de brilhantes, é deste tamanho...

— Que cidade tão rica! — interrompeu Madrinha.

Oscar falou:

— Mas lá não entra nunca o sol...

— Nem há passarinhos...

— Nem flores...

— Nem música...

— Nem livros...

— Oh! — falou Madrinha. — Então é uma cidade muito pobre; sem beleza alguma.

— Como não, Madrinha? Há belezas como não temos aqui. Vestidos cor do céu, cor de sonho, cor do arco-íris, tudo enfeitado de ouro puro.

Madrinha continuou:

— Mas para vivermos felizes precisamos de outras belezas, não dessas. O que adianta termos vestidos cor de sonho enfeitados de ouro puro se não sabemos ler? Se não temos flores para enfeitar nossas casas, nem vemos pássaros enfeitando o céu? Se não temos música para encantar nossos ouvidos, nem sol para nos aquecer? Coitados! O que lhes adianta a riqueza? Para que servem tanto ouro e tantas pedras preciosas?

As crianças confirmaram:

— É verdade. Madrinha tem razão; no entanto eles têm xícaras de ouro, pratos de ouro, garfos de ouro...

Padrinho também falou:

— Mas não têm a natureza para admirar, não têm livros para ler... Não têm música para ouvir...

Foram deitar-se tarde naquele dia e ainda impressionados com a grande aventura.

No dia seguinte acordaram cedo e foram olhar o alto da montanha; nada viram. Todos os dias a vigiavam como se a montanha lhes pertencesse. Pediram licença ao Padrinho para voltar algum dia; queriam fazer uma segunda visita aos príncipes e levar os presentes que haviam prometido.

Padrinho consentiu e disse que talvez nas férias seguintes organizasse nova excursão à montanha encantada. Cada um deles levaria um presente a Filó e ao príncipe. As crianças ansiavam para chegarem novamente as férias do próximo ano.

18

FIM DAS FÉRIAS

Passou o mês de janeiro. As crianças continuaram a andar a cavalo, a percorrer as matas e a andar a pé por caminhos cheios de sombra, mas nunca mais viram nada tão extraordinário como a cidade dos anões, lá dentro da montanha.

Em princípios de fevereiro, separaram-se. Eduardo, Henrique e as três meninas voltaram para São Paulo. Quico e Oscar ficaram na fazenda onde residiam.

Antes de partir, as crianças despediram-se de todos os vizinhos; depois foram até o riozinho, até o grande Paraíba; afinal beijaram as mãos dos padrinhos, agradeceram a temporada admirável que haviam passado na fazenda e tomaram o automóvel juntamente com Pingo e Pipoca.

No momento em que o automóvel virou a curva da estrada, elas ainda olharam para trás procurando os padrinhos, que diziam adeus ao lado de Quico e Oscar no terraço da fazenda. Depois olharam pela última vez o alto da montanha para ver se avistavam Julião, o anãozinho barbudo que abria a porta da cidade encantada. Julião não estava lá.

Quico e Oscar ficaram chorando. As meninas também tinham os olhos úmidos. Mas entre as lágrimas que todos derramavam, combinaram novo passeio à montanha, no próximo ano.